U0944047

萧乾 主编

新编文史笔记丛书

第一辑

10

两浙轶闻

郭仲选题

◎浙江省文史研究馆 编
●杨炳 洪昌文 主编

中華書局

目　录

往事漫忆

名人轶事

政海风云

社会百态

文教集萃

艺苑趣闻

文物拾零

湖山史迹

艺文掇拾

民俗风情

序

萧　乾

读书界向来对野史有所偏爱。野史大多是信手拈来的历史片断，且往往出自亲历者之手。文直事核，不虚美，不隐恶，而文笔潇洒自如，意味隽永，自然朴实，篇幅不长；可以摊开来仔细咀嚼，也可供茶余酒后、行旅倥偬中，随手浏览。

鲁迅在《华盖集》中，曾几次对野史表示过好感。在《忽然想到》一文中写道："历史上都写着中国的灵魂，指示着将来的命运，只因为涂饰太厚，废话太多，所以很不容易察出底细来。正如通过密叶投射在莓苔上面的月光，只看见点点碎影。但如看野史和杂记,可更容易了然了,因为他们究竟不必太摆史官的架子。”又在同书《这个与那个》一文中说:“野史和杂说自然也免不了有讹传,挟恩怨,但看往事却可以较分明,因为它究竟不像正史那样地装腔作势。”

全国文史研究馆所编的《新编文史笔记》丛书,内容也属野史杂说的范畴。我们希望这些以亲闻、亲见、亲历为主的轶事掌故、琐闻杂记,写人、事而摒除误会曲解,述历史而符合真实面目。

作为一种短隽有味,文字清奇而又雅俗共赏的文学体裁,笔记在中国具有悠久的传统。它始自魏晋,盛行于宋代。南朝刘义庆的《世说新语》,北宋沈括的《梦溪笔谈》,南宋陆游的《老学庵笔记》,明朝张岱的《陶庵梦忆》,清朝纪昀的《阅微草堂笔记》以及20世纪30年代初丰子恺的《缘缘堂随笔》,都是文学史上的奇葩。然而,近年来笔记乏人问津。因此,我们出这一套书,也包含着挽回颓势之意。

全国三十二所文史研究馆拥有雄厚的稿源,两千多位馆员和各馆联系的社会人士,都是丛书的撰稿人。他们都是文史界的耆宿,见多识广,阅历丰富:有的反对过帝制,有的在“五四”运动中扛过大旗,他们目睹过军阀的横行霸道,也经历过艰苦卓绝的八年抗战。这些历尽沧桑的饱学之士,他们的所见所闻,都是弥足珍贵的史料。

本丛书分辑出版，分别由各地文史研究馆编辑，内容亦以本乡本土为主。因此，各册势必具有浓厚的地方色彩。

本着笔记固有的传统，所收各文题材不嫌庞杂。举凡与文史有关的政治、经济、军事、文化、社会等方面，或记闻见杂事，或叙往昔交游，或忆社会百态，均在搜罗之列。时间跨度则自清末以迄1949年为止。这正是中华民族从闭关自守到走向世界，从落后羸弱到奋发图强，是天翻地覆、风起云涌的大半个世纪。其间，发生过多少可歌可泣的事迹，涌现过多少杰出的人物。以这一时间跨度为背景题材写出的笔记作品，必然是内容最为丰厚的。

在选稿标准上，我们坚持史料一定要真，内容要新；既要防止以讹传讹，也力避炒冷饭。在写法上务求短小精悍、生动活泼。每篇以千字为度，希望借此在文风方面，提倡一下简约。在版式上，则想做到既利于阅读，又便于携带。

恳切希望文史界方家及广大读者，不吝赐正。

孙中山三到杭州

汪振国

辛亥革命后，孙中山先生曾三次来过杭州。第一次是他在1912年4月辞去临时大总统职务后，以全国铁路总办名义，巡视大江南北，进行考察。这年11月8日道经安庆、芜湖抵杭州，旋去上海，在杭州逗留的时间很短。

同年12月9日，孙中山先生应浙江省各界之邀，第二次由沪来杭，随同来者有陈其美、姚勇忱、陈惠生、王文庆等多人。中山先生一行，9日上午6时由沪启程，沪杭线各站群众闻讯后皆聚集于车站等候。中山先生途经松江、嘉兴及海宁、硖石、斜桥、长安等站，每到一站，欢迎群众人头攒动，拍手欢呼，中山先生均令停车，下车步行于欢迎群众中，频频举帽还礼；车开动时，中山先生仍伫立车门向群众招手。站站如此，直到下午2时40分钟车才到达杭州艮山门站。时浙江都督朱瑞、陆军第六师师长吕公望、省议会正副议长及各团体联合会的代表等百余人已在车站迎候。欢迎仪式后，中山先生乘轿至梅花碑之行台休息片刻，旋即去马坡巷法政学堂参加国民党浙江支部所举行的欢迎会。此时杭城万人空巷欲一睹中山先生风采，从梅花碑到马坡巷，人群挤得水泄不通。督署大门外也挤满了人。中山先生决定步行，走入人群中，举帽向群众致意，但人群拥挤，前后左右几无隙地，步行也寸步难前。幸督署立即备马，请中山先生骑上马，由一人牵着，缓蹄从人群中穿行，到法政学堂已经是4点多钟了。中山先生在欢迎会上作了演讲，大意谓："……建立共和，虽是已达，但建国大业，尚未开始，人民还很苦，强邻还虎视。要建设一个富强的民国，首先要实施民生主义。实施民生主义的四大纲领是：节制资本，平均地权，铁路国有，教育普及……"。次日上午，中山先生应"秋社"同人之邀，偕随从人员来到西湖凤林寺的秋社，参加秋瑾女侠的公祭，中山先生亲书"巾帼英雄"四字，并写了挽联："江户矢丹忱，多君首赞同盟会；轩亭洒碧血，愧我来吊侠女魂。"以表哀思。先生还致祭克金陵诸烈士，游三潭印

月、孤山诸名胜，参观文澜阁藏书，下午5时回城。11日上午，中山先生赴江干察看铁路路线及钱塘江的水道，参观之江大学，在之江大学午餐。午后从闸口乘火车至湖墅拱埠参观商场。12日，出游灵隐、天竺。13日晨乘车回沪。

1916年8月16日，孙中山先生应浙江省督军兼省长吕公望的邀请，偕夫人宋庆龄及胡汉民、冯自由、邓家彦、戴季陶等十余人第三次来杭州。先生住在新市场清泰第二旅馆楼上第26号房间。第二天，中山先生偕夫人及胡汉民、戴季陶等游览西湖，荡舟湖上，到三潭印月小憩，过湖登岸，游孤山公园。在金陵阵亡烈士石碑前，中山先生用手摩挲碑文，无限感慨。继又到秋瑾墓，绕墓徘徊，久久不能自已！是日适风雨如晦，他想到了“秋风秋雨愁煞人”之句，乃谓“岂秋女之灵爽未昧耶？”同行者亦感慨不已。18、19两日，中山先生除继续游览西湖山水外，还在浙江省议会、陆军同袍社及吕公望宴会发表了演说。20日晨，中山先生等至南星桥渡江去绍兴。时值退潮，沙现浪静，中山先生临流四顾，对杭州美丽湖山有不胜依依之感。

清风岭劫囚

袁六桥

1906年,光复会会员张伯歧在杭搞革命,寓螺蛳桥客栈,因形迹不检,被巡防搜出手枪而被逮,系钱塘狱。在狱中,榜毒备至,但终不直白。张又被控为杀人犯,判死刑,将押回原籍正法。在杭同志丁镤、裘奉尧闻得张将于某日起解,丁即电告绍兴大通学堂同志竺绍康、吕逢樵、吴星灿;裘则星夜赶回嵊县,集同志商议,设法营救。

清风岭地处嵊北,是入嵊必经之地,岭长数里,一面倚[illegible]山,危峰插云;一边临剡溪,深渊莫测。岭上有一亭,名清风亭。某日,革命党人预料张伯歧一行即将抵嵊, 他们在清风亭内同过客一起憩息。他们打扮成有烧香的、砍柴的,也有身着土布长衫,肩一只钱褡,像是出门收账的。时至午后,押解张伯歧的兵弁来到岭上,走得额冒汗珠,气喘吁吁,见岭上有亭,便解衣舒怀,驻足暂息。那先时在亭的过客就为之让座,与之攀谈,有人问:这囚犯犯的什么罪?有的说,一定是强盗,该死!这时,戴枷上镣、披头散发、憔悴不堪的张伯歧一听,惊觉颇熟,斜眼一看,原来都是自己同志,心中也就有数了。几个解差正与过客拉扯间,那边岭下又上来几个过客,过客们从烧香篮中、饭蒲袋里、钱褡底下抽出手枪、短刀,对着解差喝问:"要命吗?"解差被这突如其来的袭击,个个吓得魂不附体,只有求饶:"好说,好说。"这时一个过客又晃了一晃刀说:"回去能销差吗?要不要做个数?"解差跪地磕头:"不要了,不要了!"眼睁睁望着"过客"劫走张伯歧,扬长而去。

徐锡麟家非巨富

陈觉民　项德颐

辛亥革命烈士徐锡麟,为革命需要,曾出资向清政府买了一个道员的官衔,于是有人以为徐锡麟家道富足,实则不然。

徐锡麟家世居绍兴县东浦乡孙家溇。祖父名桐轩,年青时和其他绍兴文人一样,"读书不成,去而学幕"。桐轩的独生子名叫凤鸣,字梅生,就是锡麟的父亲。梅生谨慎小心,拘守法度,勤俭治家,家道小康。

东浦地方以产酒著名,东浦乡间以酿酒作坊的资本最为雄厚。梅生家并不酿酒,只在绍兴城里开设天生绸庄、鸿鼎昌油烛店;又在东浦街上合股开设禄昌南货店。徐家在南货店是三分

之一的股份，不过二百元；油烛店虽是独资经营，也不过数百元资本；天生绸庄资本也并不雄厚，可见梅生家境并不富裕。徐家后来家门鼎盛，乃是辛亥革命以后的事，亦仅烈士的三弟锡骥、四弟锡麒较为有钱。梅生有六个儿子，锡麟居长，析居以后，大房、二房、六房的生活都不很宽裕，每年年底各房由三房、四房分别资送若干，才免亏空。

徐锡麟当年买道员官衔的钱，乃嵊县首富竺绍康所资。

汤寿潜出任浙江都督的内幕

汤彦森

武昌起义后，各省纷纷宣告独立。当时，浙江革命党人早已云集杭州，浙江独立本是水到渠成的事，而所以迟迟未能实现，原因有二：一是革命党军界内部有朱瑞、蒋尊簋、童保暄三人争夺都督位置，各不相让；二是以贵林为首的驻防营旗人，传闻武汉等地的旗人遭屠杀，坚不投降，并在旗营城上架起大炮，准备玉石俱焚，用以泄忿。经革命党派代表再三劝降，贵林表示，满清腐败，气数已尽，但让这些争官者治浙，亦非百姓之福。声言“愿受汤先生抚，否则力抗”。

因贵林喜古文,曾多年问学于汤寿潜。在这种情况下，浙江的革命党主要人物褚辅成等人赶到上海,请示陈其美。并邀集浙江旅沪同乡中的头面人物如虞洽卿、朱葆三、庞莱臣、张芝仙等,共商浙督人选,都认为以汤最为适宜,要杭州军界以大局为重。褚辅成等回杭,邀同地方知名人士敦请汤寿潜就职。另外，南通张謇致函汤寿潜说:“杭民六万户,使阖门而战,一朝可烬,公能独不救之耶?”在这种形势下汤寿潜乃乘车由沪抵杭,就任浙江光复后第一任都督。

康有为匿迹西湖

黄萍荪

1917年,康有为因与张勋复辟案有牵连,受通缉,一度潜居杭州。康以其特殊身份受到当时浙江军政要员卢永祥、夏超的特别照顾,他们为康有为在西湖丁家山麓原“蕉石鸣琴”景点上营造一座半中半西的别墅，主人对各景点另起风雅的名称：如“人天庐”、“开天天室”、“寥天”、“别有天地”等。杭州人称为“康庄”。站在别墅的阳台上，西湖胜景全收眼底。康曾在此挥毫书联：

割据湖山少许,操鸟兽草木之权,是亦

为政；

游戏世界无量，极泉石烟云之胜，聊乐我魂。

道出了他晚景寥落的情怀。

康有为为了“聊娱晚景”，在杭州又纳刘庄榜人女阿翠为他的第七个姨太太。这对老夫少妻经常双双泛艇湖上，康曾为“三潭印月”书一七十余字长联，悬于乾隆御碑两侧。联曰：

岛中有岛，湖外有湖，通以九折画桥，览沿湖老柳，十顷荷花，食莼菜香，如此园林，四洲游遍未尝见；

霸业锁烟，禅心止水，阅尽千年陈迹，当朝晖暮霭，春煦秋阴，山青水绿，坐忘人世，万方同慨更何之。

康氏自书长联数月后，即告别西湖去春申，在上海愚园路天游学院度过七十大寿(1927年旧历二月初五日)，同月十三日匆匆登上去青岛的海轮，于是年二月二十八日病逝于青岛故居。

30年代杭州的市徽、市花及市歌

洪昌文

1930年，杭州市参事会通过浙江大学校长邵裴子提出制定杭州市市徽、市花及市歌的提案。议决：以茶花(杭州市的土产)为市花，以湖色(西湖的本色)为市色，以金牛(西湖原名金牛湖)为市徽。是年年底，市参事会又议决：以蚕茧代金牛为市徽，又制定市歌。市歌歌词是：

杭州风景好，独冠浙西东。
白日青天下，湖光山色中。
波摇春水碧，塔映夕阳红。
出品丝茶著，讴歌庆岁丰。

在周恩来先生身边

林 泽

1926年冬季，北伐军迫近上海，那时国共第一次合作，报载上海组织上海市特别委员会，以钮永建为主席，周恩来、杨杏佛等都列名为委员。笔者这年刚从大学毕业，留在学校当助教。因自己是“跨党分子”，经介绍指派入国民革命军第一师薛岳部充当师党部干事。薛岳离职，刘峙继任，由于形势变化，我即被调回上海，指派在周恩来先生身边搞文墨工作。工作地点在上海狄思威路(今溧阳路)的弄堂楼房，时间是1927年3月初。楼房有三层，从边门进出。最下层住着一个中年妇女，带着八九岁的男小孩一人，为大家看门烧饭；二层是卧房，空无人住；三层为办公室。照周先生的意思，办公室布置得像基督教

徒的办公室，四壁悬挂耶稣和圣母像，桌上排列着圣经和宗教书籍。室内有三张办公桌，周先生坐在中间，笔者和另外一位青年各占旁边一席。

周先生每天上午9点来办公，指示我们拟撰文件。最多的是替各工会办理宣言通告、来往函件之类，由我们按照指示起草，送给周先生批阅决定。隔壁是小间会客室，经常有人来找周先生洽谈问题。我们两人从不见客，也不知道洽谈内容。周先生同我们一起在那楼房吃中饭，饭后他就走了，只剩我们两人在写写改改；有时周先生不来办公，则由陈延年先生来主持。我们每天上午8时到，下午5时散。每天吃中饭或遇有客来时，楼下即揿电铃通知楼上，电铃只许揿一下，多揿便是示警。

国民党反动派挑起“四·一二”政变时，周先生和我们仍在那座楼房照常办事。该地属于租界范围，表面上治安无恙。有时周先生叫我送信件到闸北、南市去，则须十分谨慎行事。有一天，周先生看过《申报》、《新闻报》后，忽然告知笔者说，报上广告栏登载着寻人启事，他的夫人邓颖超从广东来上海了。周先生对我说，大白天他不便在马路上走，叫我先去新惠中旅馆通知邓先生，晚间8点后准去晤面。我到新惠中，见邓先生和另一位青年女士正在梳辫子。我把周先生的话如实传达后，坐片刻，喝口茶，即回狄思威路报告周先生。这年5月初旬，笔者不幸患了伤寒病，住进上海宝隆医院医治，周先生还叫介绍人王新元(湖南人)送给我医药费二十元。我一病两个月,出院后知道,王新元被捕,周先生亦已离沪,从此联系中断。

县长考试

林　泽

1930年春季,浙江省办理第三届县长考试。经过两次笔试严格筛选之后,于5月初旬在梅花碑省府大礼堂举行口试。口试时,考试委员朱家骅、马寅初、张乃燕、雷震等成半环形坐在上首,每次传呼二人入试,一人面对考试官进行问答,一人坐在右边小桌上写作文。笔者参与这次口试,被传入后先在小桌旁准备写作,要求写禁赌布告六言韵文一篇,限十分钟完稿。这是一桩新鲜事儿,为每个应试者初料不及。笔者照办,按时交卷,随即与另一传入者互换位置,他去写作,我做问答。写作题材不一定相同,诸如禁赌、禁鸦片烟、禁械斗和照章纳税禁止偷漏之类;问答亦由考试官随意发问,有时事形势、政治经济要闻和个人党派履历之类。这种考试,其目的除测试应对写作能力外,似乎还考察应考者的形貌、言辞、举止。传闻朱家骅重视形象仪态,故当时应试者一般都西装革履,风度翩翩,以郑重其

事。这次口试,应考者十九人,最后张榜公布录取十三人,六人被淘汰了。

西湖博览会见闻

张任天 稿　刘麟书 整理

1928年11月，浙江省政府主席张静江为了提倡国货,劝工兴商,通过观摩比较,促进物产的改良,达到实业救国的目的,模仿美国万国博览会的形式,在杭州筹办西湖博览会,博览会以当时浙江省政府建设厅厅长程振钧为主委。

博览会于1929年6月6日开幕,10月10日闭幕,历时四个月。会场设在西湖孤山和里西湖岳坟一带地区。内设八馆二所。“八馆”的名称、地点是:

一、革命纪念馆。所在地在白堤的尽头,平湖秋月对面的唐庄和浙军攻克金陵阵亡将士墓一带。陈列的内容是:烈士的遗像、遗墨、遗物以及战事摄影图片等。

二、博物馆。地点在林社、放鹤亭及徐公祠一带。陈列的是全国各地征集来的珍禽异兽、鳞甲、昆虫以及矿物、植物、水产等。

三、艺术馆。设在照胆台、三贤祠、陆宣公祠等处。陈列的是我国古今名人的书画、雕刻、塑像、刺绣等。

四、农业馆。设在忠烈祠、文澜阁和中山公园等处。陈列着各种农作物、农具、肥料以及病虫害防治方法的说明等。

五、教育馆。设在省图书馆、徐潮祠、启贤祠、朱文公祠等处。陈列着中等学校的用书、仪器、教具和教育统计，以及各级学生的成绩作品。值得一提的是教育馆门口的一副对联，为新文学家绍兴人刘大白先生所撰，上联是："定建设的规模，要仗先知，做建设的工作，要仗后知，以先知觉后知，便非发展大中小学不可；"下联是："办教育的经费，没有来路，受教育的人才，没有出路，从来路到出路，都得振兴农工商业才行。"这副对联，反映出人民群众对旧政府的针贬，因而脍炙人口。

六、卫生馆。地点在西泠印社、广化寺、俞楼等处。陈列的是人体生理的解剖图型，各种疾病的状况和原因，各种细菌的发育，以及各种中西成药、医疗器械、体育用品等。

七、工业馆。设在里湖王庄东首空地上新建起来的馆舍。陈列着我国著名的工业品，如磁器、漆器、铜器、棉织品、日用品等。

八、丝绸馆。设在葛荫山庄、杨庄、地藏寺等处。陈列着各种绫、罗、绸、缎、丝以及缫丝和织染等工艺过程，还当众进行表演。

"二所"的名称和地点是：

一、特种陈列所。设在坚匏别墅。陈列内容

有关于社会问题、经济问题、道路计划、实业计划等的统计表，计划图、计划表以及用木腊、石膏制成的种种模型等。

二、参考陈列所。设在岳王庙内。陈列的都是外国的机器原料，凡是可以供我国建设事业和制造厂商参考的，都广为征集陈列。

除八馆二所外，为了便于游人参观，在孤山与北山路之间临时架了一座木桥，从孤山放鹤亭起至里西湖招贤祠，长达一百九十三米，桥上建亭三座，供游人休息。博览会从革命纪念馆到西泠桥，还建了轻便铁道，行驶小型火车，供游人乘坐。另外，还建一座铁制标塔，矗立于中山公园门前的西湖中(西湖博览会结束后，杭州人把它叫做“戚继光纪念塔”)。博览会还举办京剧、电影、溜冰、焰火、跳舞、跑驴、音乐会、清唱、灯会等文娱活动。农历六月十八日夜，还举行传统的西湖灯会，纸糊的荷花灯飘浮于湖面上，夜游西湖，灯光与湖水相映成趣，风光绮丽，游船喧闹，大为博览会增色。

总计会场的面积达五平方公里，展品有十四万七千六百零四件，环绕行走一周约四公里左右，整个会场共装有电灯三万八千余盏，参观人员数以百万计。盛况空前，轰动一时，为杭州的工商业带来了一定的繁荣。

博览会结束后，其陈列物资均交浙江博物馆收藏。

“白日擒雕”斗“飞鹰”

吴百亨 稿　汪振国 整理

光绪二十年(1894),我出生在温州的一个小商贩家庭。旧中国迭遭帝国主义列强的侵略,我亲历其境,耳闻目睹,十分愤慨。“五四”运动前后,温州一带掀起了抵制洋货运动,我都积极参加,对当时社会上及工商界有识之士提出的“实业救国”的主张,十分赞赏。

二十七岁那年,我集资在温州五马路创办百亨药房,经营七年,积资一万余元,在温州商界有了一点声誉。当时,我国炼乳市场为英商英瑞公司的鹰牌炼乳所垄断,眼看权利年年外溢,想等到自己有了一定的资力,就要把“实业救国”的愿望付诸行动。1926年,我从百亨药房抽出二千元的资金独资创办了百好炼乳厂。

为了同飞鹰牌炼乳竞争,在一些朋友的帮助下,精心设计了一种与飞鹰牌相仿的“白日擒雕”图案为商标,即在白日之下,有一只手擒着向右展翅的雕;而“飞鹰”图案是衔有标带的鹰立树枝上,其首向左作欲飞状;“白日擒雕”既显示了与鹰牌展翼竞飞的形象,又含有不许这只苍鹰在中国市场上独断飞翔之意。该商标在1927年得到南京国民政府商标局的认可。经过十年积极经营，百好厂的两种主要产品——白日擒雕炼乳和白脱奶油，在全国各地都受到欢迎，声誉很好，成为鹰牌炼乳的劲敌。

在百好炼乳厂蒸蒸日上的十年岁月里，一向独霸我国炼乳市场的英瑞公司，不甘心独占阵地被削弱，依仗他的洋商身份和雄厚资力，不断施用硬的、软的、明的、暗的种种手段，企图扼杀、并吞百好厂。英商首先向商标局指控白日擒雕是仿冒鹰牌，我援引国民政府的商标法严加驳斥，因而两次裁决，我都胜诉了。接着，洋商又不惜成本，对鹰牌炼乳降价倾销，每听由七角减至五角，欲以此挤垮擒雕牌炼乳。当时擒雕牌产量尚不大，销售虽受到影响，所损无多，而飞鹰牌炼乳销量多，损失很大，如长期减价，会把自己搞垮，所以不久即恢复原价。以后，英商又派其中国籍买办胡世铎来找我商谈，提出英瑞愿以十万元收买"白日擒雕"的商标权。胡对我说："你老兄办炼乳厂，无非是为了赚钱，现在钱从天降，白得十万元，立刻成为温州首富，仍可另立商标继续经营，何乐而不为。"我说："我办炼乳厂，不单是为了赚钱，是为振兴国货，抵制洋货，擒雕商标决不出卖。我还希望你不要为洋人效劳，应为中国人推销国货。"胡自觉惭愧，赧颜而退。

1933年，英商通过福州亚士德洋行，收购了白日擒雕炼乳两千多箱，经加高温后搁置至变质，再向市场上抛售，藉以破坏擒雕牌炼乳的声

誉。我得知此事后,毅然以两万元将这批炼乳全部收回,沉入闽江中。此举哄动了整个福州城,百好厂的市场信誉反而更加卓著,洋商这一招又被挫败了。接着,英瑞又派人来与我商谈,说鹰牌炼乳不仅在中国,在欧洲和日本亦有广大市场,为了擒雕牌炼乳的发展前途,愿以51%的优惠股权,两厂合并,统一经营。我看透其用心是明合暗吞,断然加以拒绝。至此洋商黔驴技穷,而擒雕牌炼乳产销蒸蒸日上,不仅畅销全国,而且进入国际市场。

忆何炳松先生

姚士彦

1942年,浙赣战役以后,我随《前线日报》从江西上饶撤退到福建建阳。报社临时地址设在建阳童游镇。这时,暨南大学已经早几个月迁至建阳上课。那时候撤退的部队途经那里的很多,街上的店面房屋常被住满。一条小街挤满了士兵和大学生,秩序很乱,公共卫生状况更差。暨南大学一学生向《前线日报》副刊《磁铁》投文批评这种状况,说“竟有大学生也当街大小便”,《磁铁》编者加了几句按语,因而引起纠纷。一部分三青团学生,本来对《前线日报》的进步倾向不满，便以《前线日报》诬蔑大学生为借口，聚集三十余人于一天傍晚来编辑室闹事，要求交出编者，说出投稿学生的真实姓名。宦乡与我两人以正副总编身份接待他们，但有些三青团员不大讲理，竟然狂呼“打掉编辑部”。编辑部后面就是报社的排字房和印刷厂，工人们一向尊敬宦乡，热爱报社，听见喧闹，便拿了铁尺、鎯头等作武器来保卫宦乡，事态十分严重。所幸暨大何炳松校长公馆就在编辑部左近，总编辑室翻译安炳武(朝鲜籍)见事情可能闹大，从后门出去报告了何先生。何先生于千钧一发之际赶到现场，训斥了学生，制止了混乱。一场风波，才算平息。

第二天，何先生特设便宴，邀请我们几个人和暨南大学教务、训导两处的几位教授一道谈谈。何先生说：《前线日报》与暨南大学都是文化机构，过去因为彼此没有往来，所以才发生这类误会。为了今后友好相处，双方应该有些联系。当场约定，由暨南大学学生自治会推人负责，在《前线日报》出一《南侨旬刊》(暨大一向是华侨学校)，宦乡和我每星期去暨大担任两小时课，请宦乡讲“国际问题”，要我讲“世界经济”。《南侨旬刊》出了几期，宦乡讲过几堂课，我也去过一次。不久，《前线日报》又迁回上饶。我们回到上饶后，接受何先生介绍的两位暨大毕业生杨选堂和陈荫善来报社工作。后杨选堂于抗战胜利后去台湾大学工作，陈荫善随报社迁沪，不幸因肺结核早逝。

何先生是著名的“十教授”之一，宦乡则是进步的国际问题专家。何先生当时说过一句话：“我们都热爱祖国，现在国难当头，应该抗日第一，坚持团结，争取胜利，任何分歧都是第二位的。”语重心长，我们都被感动。

作为历史学家，何先生留下很多专著。我所回忆的虽然只是一件小事，也反映了何先生的爱国赤忱和长者风范。

冯玉祥的周末座谈会

汪振国

抗战时，国民政府西迁重庆，国民政府内政部则在距渝五十余里之陈家桥一祠堂内办公。时冯玉祥在陈家桥附近购置一山庄，名白鹤场。每逢周末，他常来山庄度假。星期天，有时邀请内政部职员至其家座谈，从农民生活、生产、物价到前线战事、大局安危，无所不谈，不存忌讳。冯在谈话中对苏联、美国、中共在语气上都表现好感，对战局前途表示乐观。他说毛泽东的持久战略是正确的。他也很赞赏蒋百里的两句话：“胜也罢，败也罢，就是不要与它讲和。”座谈中，大家可以随意提问题，他有问必答；但问题提得不恰当时，也往往怒形于色。一次，内政部同事伍忠道问，“听说驻苏大使以邵力子代替杨杰，是因为杨私生活浪漫，行为不检，每逢周末，常去巴黎寻乐跳舞，确否?”冯熟视伍某而言曰：“这都是汪派余孽造谣污蔑。”伍某面红耳赤。但这种情况是很少出现的。对有的提问，他又往往不作正面回答，如有人问他：“小报上曾刊登过冯先生白天去看委员长，却手提灯笼，说是因为外面一团漆黑，不知果有此事否?”冯笑曰：“报纸上刊登的东西，可信亦不可信。”冯虽出身行伍，但好读书，聘有家庭教师；亦爱书画，有向其索字画者，挥笔立就，予亦曾求得一联，句云：“公卿有党排宗泽；帷幄无人用岳飞。”

黄绍竑办浙江战时兵工厂

汪振国

浙江省大港头兵工厂，好似黑夜一颗流星，一闪即逝。

1937年底杭州即将沦陷，新任浙江省主席黄绍竑下令杭州所有工厂将机器设备拆卸运往省政府临时所在地——金华。由于交通拥挤，搬运困难，工厂的机器设备，抢运出者不到十分之一。黄氏与省府工程师黄祝民商议，决定把这些机器设备加以利用，在丽水大港头办一个兵器制造厂，不足的部件，从上海、福建和温州购进配齐。不到几个月，工厂就生产出步枪、机枪、手榴弹等。但实弹射击时，机枪不能连发，步枪不能瞄准，手榴弹掷出不是早爆就是迟爆。黄氏又创办了研究室，经反复设计和试验后，步枪、机枪、手榴弹的研制都成功了，取名为“七七式”。黄氏还亲自设计了一种枪榴弹筒，效果也很好。从此，产品数量不断增加，质量不断提高，名满东南，不仅补充了本省需要，还远销闽、赣、桂等省。机器由开始时十多部增加至一千多部，由一个母厂，扩充为三个厂，工人有四千多，眷属一万多。名气大了，引起了国民党中央政府的注意，兵工署多次派人来检查上报，认为黄季宽(黄绍竑之号)野心难测。1940年，南岳召开军事会议，黄绍竑带两车样品去展览，参加会议的一些高级将领都说：“黄季宽已经变成军火商了。”黄说：“在抗战时期，自己能制造一些军火，不再买外国货，也是一件值得做的买卖呀。”黄将这个情形，向蒋介石报告，蒋说：“好，好，你就这样做去。”所以黄就更放胆做起来了。话虽如此，对黄还是不放心。兵工署以武器制造权属中央，地方办厂，破坏了兵工统一，便以制式统一为理由，下令收归中央，移往福建办理。当中央正在派人来接管时，1942年6月，日寇陷金华，占丽水，第三战区下令将兵工厂全部立即炸毁，以免资敌。黄氏力请缓炸，并愿负全部责任，亦未能获准。经力争，暂保持大港头一个厂，待敌兵临近时再炸。其余两个厂，一在云和小顺专造步枪、手榴弹；一在石圹专造机枪、枪榴弹，全炸毁了。据当

时在该厂任步枪车间主任的马英才说，炸厂时，许多工人痛哭失声，有个老工人在引爆时冲进车间，抱着他经常使用的车床痛哭，要与机器同归于尽，被强拖出来，仍痛哭不止。结果敌人到丽水即退去。敌未至而兵工厂厂房设备全毁了。大港头的母厂虽保留下来了，但只能生产一些民用机件用品。

抗日烈士杨松林

何聘儒

杨松林，贵州人，黄埔军官学校第八期毕业。原在贵州部队独立第六旅周志群部工作，以后所部编入国民党四十九军二十六师建制，杨调七十八团第三营任少校营长，于1941年在反攻绍兴时，英勇杀敌，壮烈牺牲。

当时我任师属工兵营中校营长，反攻绍兴前夕与杨共同参加师部的进攻部署会议，杨奉命担任主攻营，任务是“向绍兴城南的日寇进攻，在攻入城后，占领虎山，配合友军，肃清绍兴城内的日寇”。会后，杨即返部命令各连排整装出发。杨身穿一套黄色华达呢军服，显得格外威武，对部下讲：“日本鬼子侵占我领土，炸毁我城市，掠夺我资财，屠杀奸淫我兄弟姐妹，无恶不作，残酷之状，难以语言形容。我们抗日爱国军队,是为保卫祖国的领土、人民的生命安全而战斗的,决心在这一次反攻绍兴战役中,不成功便成仁,所以今天我穿上这套黄呢军服上阵,不怕暴露目标,让子弹向我集中射击……弟兄们!奋勇前进吧!"其爱国爱民,不怕牺牲的精神,使全体官兵感动得流泪。当晚抵达绍兴南面城河附近时,乘茫茫黑夜,杨首先带一个步兵连攻入绍兴城内,霎时间枪炮齐鸣。敌人一面将城河所有照明设备打开,如同白昼,利用各种枪炮封锁城河,阻止我方后援部队;一面调动城内日寇,将杨部攻入绍兴城内的一百多战士,层层包围。杨部在后无援兵,孤军作战,弹尽粮绝的情况下,血战到底,全部壮烈牺牲,无一被俘,无一投降,其状可歌可泣,日月同昭。

我和烈士杨松林,同一部队,情同手足。几十年来,他的事迹历历在目,缅怀不已,特为追记。

《笔垒》及其编者

孙　毅

《笔垒》是《东南日报》副刊,其编者是陈向平。这个副刊是抗日战争时期浙江坚持抗战文化宣传的阵地之一。

陈向平应《东南日报》社长胡健中之聘负责

主编《笔垒》后，使这个副刊成了坚持团结、坚持进步的抗战文化阵地。《笔垒》的经常撰稿人有千家驹、宦乡、葛琴、邵荃麟，以及其他还没有撤离金华的进步文化人。陈向平除坚守这块抗战文化阵地外，还以副刊编辑室或《东南日报》编辑部名义，经常借用金华酒坊巷台湾义勇队的驻地召开文艺座谈会。

陈向平，原名陈增善，江苏常州人。青年时期曾在上海劳动大学中学部读书，与徐懋庸同班同学。劳动大学撤销后，一度失学。抗战爆发后，辗转来到金华。他参加过中共，但那时候没有与当地的党组织发生直接的组织关系。“皖南事变”后，浙江的抗战文化活动受到破坏和限制，但是，陈向平主持的这个抗战文化阵地还是艰难地保持了下来。金华沦陷前，陈向平随《东南日报》迁往福建南平。抗日战争胜利后，他又转到《东南日报》上海版，仍担任副刊编辑。全国解放后，陈向平恢复了党籍，先在上海市教育局担任研究室主任，后担任上海教育出版社社长。他是党的一位坚强的文艺战士。

郎玉麟怀念山本君

枫　林

抗日战争时期，郎玉麟率领的吴兴县抗日游击大队，驰骋浙西，屡创日寇，湖州百姓称之为“郎部”。余之岳母曾在“郎部”工作，故余得常拜访今已八十余岁的郎老。一日，郎老忽无限感慨地说：“可惜哪！可惜不知道山本的名字！”山本，何许人也？应余请求，郎老讲述了山本君的情况：

1943年春，某日，日寇突然包围我部基地潘店村。我三哥郎三星被捕。闻此讯，人皆估计凶多吉少。五天后，三星却安返。问之原委，三星告以被捕入狱后不久，湖州日军宪兵司令部有位姓山本者，把他从狱中提出，问之曰：“君是郎三星？郎玉麟系令弟？”三星曰“然”。山本笑之曰：“郎玉麟，乃吾甚敬仰之人。您回去吧！请转致郎大队长，今后有事需帮忙，可致函于吾，定当尽力办妥。”我闻之甚奇。时军中缺药品，我即致函山本，请代购药品。不久，山本送来药品。其后，我方干部俞国良被日军俘获，我再致函山本，托其解救，不日，俞即获释。1945年，我担任吴兴县抗日民主政府县长时，所属双林区区长李泉生遭日寇逮捕，我又函请山本营救，李旋即出狱。

嗣后，山本来函，协商于城外某地会见。经请示上级，同意与其见面。会晤时，我感谢其多次助我之功。山本曰："不然。贵我皆为反法西斯尽力而已。岂有谢哉！"我问其故。山本直率答曰："吾乃日本反战同盟成员。爱日本，亦爱中国。吾有中国姓名，曰张一鸣。反法西斯，乃贵我共同之目标乎！"我紧握其手，向其致敬。山本毅然曰："今后当继续精诚合作！"晤面后不久，日本投降，我部北撤，与山本君之联系乃断。

余谓郎老曰："吾于南京时，曾闻一专门研究抗日战争中反战同盟之学者谈及，时之反战同盟，一为中共领导的俘获日军组成之反战同盟；一为日共领导的日军中之反战同盟。山本君，当属后者也。"郎老曰："然。两者之功。皆不可没。可惜当时未及问清这位反法西斯战士的真实名字。甚憾！"

奇袭乔司日寇

金承宪

余杭县乔司是个有二千多人口的乡镇，地处杭州市东北郊，离杭州笕桥飞机场很近，有沪杭、临(平)乔(司)两条公路在此会合。1937年12月24日，日本侵略军占领杭州后，在乔司及其附近筑起碉堡，分别在镇南北的五仙殿、平家桥驻军六七十人,并在要道口设岗哨两处。日军在此奸淫掳掠无所不为。五仙殿有一孕妇先遭日军轮奸,又被刺刀开膛剖肚,惨不忍睹。驻防在钱塘江南岸的国民党六十二师爱国官兵,闻讯后,对日寇的强盗行径,无不义愤填膺。当探得驻乔司日军势孤力单、疏于戒备时,便调集官兵百余人,于1938年2月17日深夜,由国民党第十集团军司令部情报组组长鲁清、副组长贾龙文做向导,暗渡钱塘江天堑,奇袭乔司。先将哨所哨兵干掉,直扑平家桥日军营房。日军正在梦中,而营房里手榴弹的爆炸声已震耳欲聋,血肉横飞,尸体狼藉,一举歼灭日军四十余人。其他日军像丧家之犬,向笕桥飞机场逃命。

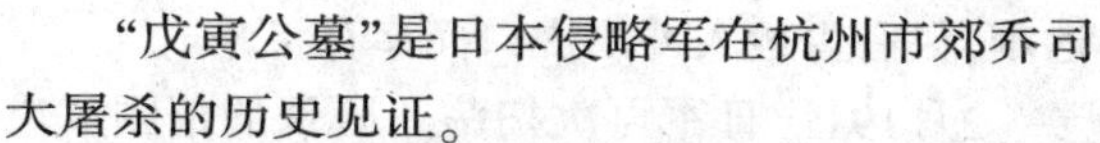

乔司的戊寅公墓

金承宪

"戊寅公墓"是日本侵略军在杭州市郊乔司大屠杀的历史见证。

1938年2月18日凌晨，日军二百余人从笕桥、临平、长安三个据点向乔司逼近,将乔司团团包围,见屋就烧,见人就杀。他们从乔庵一带开始放火,沿街烧屋,又用机枪疯狂扫射从屋内逃出来的男女老少。霎时间，整个乔司火光冲天,哭声震地,满街血泪。黄源兴酒店有一职工,被日军用指挥刀拦腰劈死，肚肠流出体外；冯信发的母亲逃出家门即中弹身亡；城隍弄汪凤珍和同伴七个妇女以及一个婴儿，眼看陆路难以逃离，乘船划向宝庆桥，被站在桥上的日军发现，开枪射击，同伴均遭难，她和婴儿躲在尸体下面过了一夜，第二天才逃离险境。

当天9点钟左右，当数百名同胞惨死之后，日军又缩小包围圈，大肆搜索，将三四百名躲在家里的男女平民，用刺刀押送到汽车站几间平房里集中，关押了三四小时。屋狭人众，众人挤得喘不过气来。正当又饥又累又惊之际，日寇开始集体大屠杀。日寇吆喝着，拉出一人就在公路边枪杀。再拉一人，命他将尸体投入附近的一个池塘，待他回到原地，又将他枪杀。如此反复多次后，日军改用两人捆绑在一起枪杀。陈顺叔和他人绑在一起，枪声一响，俩人同时倒地，陈幸未中弹，躺在尸体堆里，待到深夜才逃离。到下午二三点钟，关在那里的人，抱着“与其束手待毙，不如拼着一死”的决心，待门打开时，齐声喊：“冲啊！”夺门而出。日军用机枪扫射，多数人遇难，只有少数人冲出虎口而幸存下来。

2月19日，日军再次扫荡。屠杀的范围从市镇扩展到农村，使乔司方圆十里内，瓦砾成堆，尸横遍野。乔司大屠杀被害同胞共一千三百多人。它是日本帝国主义在侵华战争期间所制造的千百起惨案中的一起。

抗战胜利后，乔司人民收葬白骨，垒泥成坟，命名“戊寅公墓”。

陈布雷弃世前后

张任天 稿　汪振国 整理

1948年11月12日，陈布雷在南京自裁弃世。

我与布雷是故交，1905年我自东京回国，就读于浙江高等学堂，布雷是1906年与宗海(郑晓沧)兄以插班生进入高等学堂预科。那时他不过十八岁，我也只二十岁，一见如故。我们对国事、家事、天下事无所不谈。1948年八九月间，有一天忽接布雷从上海打来电话，叫我立即去沪，有话面谈。我连夜赶到上海他的寓所，见一切还是那样平静，他手夹一支香烟，坐在沙发上，多时一言不发。我只得先问他："叫我来有何事？"他凝视着我，有顷，忽开口说："任天哥，你年过花甲了，我要为你做寿啦！"真叫我瞠然不知所对，我想了想，对他说："你今年五十九，做九不做十，你可以做寿，我将为你写篇寿序。"他似乎完全没有听我说什么，换了支烟，猝然站起来，踱了几步，像是问我，又像是自言自语："我还能负荷得了吗？"他平日说话很谨慎，这次却谈了当前局势，我也把近见近闻告知他，我为他念了两句《诗经·民劳五章》的诗："民亦劳止，汔可小休。民亦劳止，汔可小息"。他摇摇头，同时摸出万金油，用力向前额及太阳穴擦抹，谈话就这样

结束了。

11月14日，我早晨起床，照例翻阅上海报纸，摊开《新闻报》，“陈布雷逝世”的黑字标题跳入我的眼帘，不禁呀了一声，感到一阵震惊和悲痛。一个同窗老友这样突然去世，我深深陷入了沉思……。考虑到南京的追悼会必然是冠盖云集，我这个布衣之交还是不去参加为好，准备在他择地安葬后，再去墓前一掬悼念之忱吧。

他生前曾在杭州九溪徐村买有一块地皮，本拟筑屋数椽，终老是乡。此地坐山面江，北绕小溪，流水潺潺，翠竹掩映，生前既未能如愿归来，死后正可作他长眠之地。

当他灵柩经沪到杭时，在杭州火车站举行了迎灵仪式，省府主席陈仪主祭，省府委员、各厅处长陪祭，接着是各机关团体学校公祭，人数之多，不是他生前所能想像的。随灵执绋者有：陈仪、张强、阮毅成、竺可桢等一些党政学界人士，我也身在行列。蒋经国代表其父送葬，走在陈仪后面。灵柩暂厝四明公所。陈夫人王允默女士提及布雷生前曾坚辞国葬，只筑一普通平民之墓穴，碑刻“陈布雷先生之墓”。12月10日上午，从四明公所移灵至徐村墓地落葬。

解放后余住杭州，每年清明、冬至，总要前往墓地凭吊一番。青山埋俊骨，溪水伴哀音。缅怀旧雨，不禁老泪纵横。

琼瑶童年一事

赵涛翰

临岐分手太仓皇，兄走陪都我贵阳。
每忆荒山逃恶虎，难忘柴室泣娇凰。
瓮中十口诚如鳖，窗外群魔亚赛狼。
岂是冥冥真有佛，慈亲长爇佛前香。

是为抗战胜利后，余写赠表兄陈致平之诗，今已四十余年矣!忆日寇南侵，衡阳沦陷，余与外子挈二儿逃至衡阳乡下舅父家。不一月，该地敌兵麇集。余等昼伏深山，夜始返家小息，惶惶数日，体疲神瘁。一日晨兴，忽传寇至，不及奔山，两家老小仓促避入菜圃一废败之柴室中。舅父墨西公，时年七旬，紧抱幼孙，老泪纵横，表兄嫂亦相拥而泣，盖悲即将生离而死别也。余则念及他乡之父母、眼底之幼儿，心痛如割，准拟此番两家十口同归于尽矣! 不料日寇擒鸡缚豕，饱载而去，置吾等所藏之败室，竟未之顾，亦云幸矣!险矣! 时表兄陈致平有三雏，二男一女，女名凤凰。而凤凰者，即今誉满东南亚之小说家琼瑶是也。戊辰(1988)秋，琼瑶由台飞京，寓北京建国饭店， 余遣次儿往访， 谈及童年避寇困处一室往事，琼瑶曰:“余对此经历，印象特深，终身不能忘也! ”当时琼瑶仅六龄，余次儿则三岁耳!

俞曲园与西湖醋鱼

洪昌文

俞樾(1821—1907),字荫甫,号曲园。浙江德清人,为我国清末著名学者。他在杭州西湖广化寺侧俞楼居住时,文人学士访求者络绎不绝,曲园先生常以"宋嫂鱼"待客,渔歌樵唱,溢于湖上,置酒湖楼,习以为常。中州鱼羹多用黄河鲤鱼,而江浙鲤鱼不及黄河鲤鱼肥嫩,曲园先生改用西湖草鱼,兼取"宋嫂鱼"和德清人烧鱼的方法,创制成"西湖醋鱼"待客,受到宾客的盛赞。《春在堂全集》有诗云:"宋嫂鱼羹好,城中客未尝。况谈溪与涧,何处白云乡。"诗后附注:"西湖醋鱼相传宋嫂遗制，余湖楼每以供客，……皆云未知有此味。”

章太炎两进龙泉寺

金承宪

世上的事，无巧不成书。在近代民主革命家章太炎的政治生涯中，就在两个龙泉寺中呆过，尝到了人生的甘与苦。

光绪二十八年(1902)，章太炎在苏州东吴大学任教，由于他宣传排满，反对清政府，遭清廷通缉追捕，他不得不离开苏州，回到浙江省余杭县仓前老家躲避风头。2月22日，正是元宵佳节，章太炎和妻子及两个女儿共进晚餐。章太炎连喝几盅美酒，话盒子打开，天南地北说个没完。突然他的好友吴保初派人来报信，说，“上面已知你的行迹，速避。”事情紧急，经过全家商量，避至附近的龙泉寺。章太炎对方丈讲明来意后，方丈深明大义，以上宾相待，全力保护。两人相处甚得，成为知己，共同研讨佛经教义和佛学理论。方丈的佛学见解，对章太炎晚年在佛学上的建树，有一定的影响。避过十天后，事稍平息，章复去上海，转赴日本。3月19日，章太炎在东京发起支那亡国二百四十二年纪念大会，继续进行民主革命活动。

民国三年一月，章太炎在北京目睹袁世凯的种种倒行逆施，他的内心里充满悔和恨，为了发泄，他每天大书“袁贼”、“袁贼”。饮酒必佐以花生米，吃时去其蒂说：“杀了‘袁皇帝’的头!”有一天还足登破靴，手持团扇，扇下系以勋章，来到总统府，大骂袁世凯不休。遂被袁世凯软禁在北京龙泉寺。章太炎愤甚，常打碎室内器物，并扬言要放火烧屋，继而进行绝食。袁世凯阴谋杀害他，内史监阮忠劝袁说：“武则天读骆宾王之檄文，犹许为人才；燕王受方孝孺的口诛，尚欲其不死；太炎的文章学术，不可多得，无罪而加以戮，公的智谋，岂不逊于武则天、燕王吗?”袁世凯听后自我解嘲地说：“他一个疯子，我何必与之认真。”不久，袁世凯将章太炎迁居钱粮胡同。

章太炎的十字电

金承宪

袁世凯就任中华民国临时大总统之后，为了拉拢章太炎，委任他为总统府高级顾问。两人相处一久，太炎先生发觉袁世凯不能容人，于是产生想走的念头；袁世凯也发觉章太炎难以驾驭，不好利用，便派他去东三省做了筹边使。

章太炎上任后，曾致电政府要求拨款三万

元,政府以款项支绌,久而未拨。1913年,太炎在东北闻袁世凯派人暗杀了宋教仁,愈加感到袁世凯是个大野心家,毅然于3月25日致电政府,电文仅十字:“只管推宕不要你的钱了。”翌日上海《新闻报》刊登此电文。太炎托事回到上海,上书辞去东三省筹边使职务,并发表文章,抨击袁世凯及其僚属。后又与孙中山先生言归于好,站到孙中山先生一边,投身于反袁斗争的行列中。

宋恕讲学

钱均夫 稿　叶炳南 整理

光绪二十五年(1899),杭州求是书院(今浙江大学前身)聘请宋恕(1862—1910,字平子,号六斋,平阳人)为国文总教习。宋之道德文章,时为海内冠,读书能过目不忘,并谓不独尽阅中国书籍,即大藏经典,亦皆过目。著有《六斋卑议》。学生有询以既有卑议,则必有高议,能假阅否?宋谓有之,然斯时尚不许尔辈假阅也。宋曾游说李鸿章、张之洞等,欲为国事有所划策,力主维新,不为所采,退为主讲。

某次,见一学生方阅《红楼梦》,问其阅至何处?答云已至某某回,随命其背诵《芙蓉诔》,生不能对,宋即自始而终背诵之,一字不乱,告诫学生:“尔辈读书,遇有佳文,须熟记之,则他日

行文,方有进境。”又一次,询一学生读《经世文编》每日阅几本?答曰:“十余篇。”宋喟然叹曰:“如此则全书正续两编共有四十八册，若干年后,始能阅完;中国书籍,浩如烟海,尔辈何时方能读毕?”有某生转问宋曰:“师日必阅读若干?”答曰:“日必三四本。”且抽取若干精读之文,而指讲之,一篇不乱,其记忆力之惊人如此。故宋氏在求是书院未到一年,学生受益甚多,校风顿变。宋之教学重启发,非斤斤于占毕者所可比拟也。

蒋百里与梁启超的笔墨缘

许逸云 稿　叶炳南 整理

蒋百里(1882—1939),名方震,别号澹宁,笔名飞生。浙江海宁(硖石)人。曾留学日本,并赴德国实习考察军事，为民国时期杰出的军事理论家。他在文化学术上也颇有贡献。1919年从德国归来后,他写了一本《欧洲文艺复兴史》,在“导言”中指出:“文艺复兴,实为人类精神世界之春雷。一震之下,万卉齐开。……综合其繁变纷纭之结果,则有二事可以扼其纲:一曰人之发见;一曰世界之发见。”宣扬了“五四”新文化运动所高举的“民主、科学”两大旗帜的时代精神,并被梁启超评为“极有价值之作,述而有创作精神”。

此书1921年问世后，十四个月内连续出了三版。有趣的是，这部约五万言的论著成稿后，蒋百里特请梁启超为之作序。不料梁氏下笔不能自制，一篇序言竟也写了洋洋五万字，篇幅与原书相等。梁启超自觉“天下固无此序体”，只好另外再写一篇短序，而将此长序取名《清代学术概论》，单独出版，反过来请蒋百里为该书作了序言，诚为空前未有的文坛趣事。

沈钧儒诗文慰吊邹韬奋

郭树权 稿　刘麟书 整理

沈钧儒是“七君子”中的年长者，参加过辛亥革命、护法运动和国民革命。从一个清朝末年进士，成为献身于抗日救亡，争取人民民主的坚强战士，爱祖国，爱人民，不顾个人安危，与袁世凯斗，与曹锟斗，与孙传芳斗，与蒋介石斗，在半封建半殖民地的中国，不愧是中国民主主义革命的光辉典范。

沈钧儒与邹韬奋同为上海救国会的领袖，1936年11月22日，两人在上海同时被捕，在江苏高等法院的监狱中囚居了二百四十三天，于1937年7月31日获释。其后，沈与邹一道到南京、武汉、重庆活动，而且居住相距咫尺，常相过从，情投意合。1941年皖南事变，邹出走香港，1942

年到苏北解放区，因患病秘密到上海就医，沈闻讯以诗致意：

闻讯摧肝胆，思君何处寻。疮痍连岁泪，文字百年心。梦逐南鸿远，愁缘病榻深。遥知君子共，对影一灯侵。

1944年7月24日，闻邹病逝上海，沈又以诗吊之，诗曰：

薄雾微明际，行矣竟奈何。三年牛挤乳，一夕海扬波。到处逢魑魅，良医孰缓和。从今衡舍路，默默怕经过。

从诗中，可见沈老珍重革命友情之心溢于字里行间，使人敬佩不已。

马一浮拒权贵

汤彦森

抗战事起，马一浮从杭州逃难到四川，在乐山乌尤寺住了六年，办起复性书院，收弟子数十人，编纂讲义数百万字。

抗战胜利前两年，孔祥熙丧母。母以子贵，孔太夫人的丧事办得极为豪华，一些附庸风雅的权贵，还想到要马一浮替孔太夫人写一篇歌功颂德的墓志铭。当时派了一个副官之流的人上乐山乌尤寺找马一浮，态度高傲地对马一浮说："孔部长的太夫人去世，要请你写一篇墓志铭,要赶快写成。”当时,马一浮嗤之以鼻,说:“老朽已年迈,久不执笔写文章了,请回复孔部长,恕难从命。”此人只得怏怏而回。逾数日,又来了一位不速之客,大概是孔的秘书,此人说话就婉转得多,先是对马老的道德文章大加推崇,最后还是亮出了主题,说孔祥熙如何孝母,恳切希望你老能答应写一篇墓志铭,来人死皮懒脸久缠不息,见马老毫不动容,就大放厥词说:“孔部长决不会让你老白写的,写好后准备送你若干两黄金。”马老本来已不耐烦,总想客气地送走了事,不想此人竟想用金钱收买,此时实在忍耐不住,就从坐椅上站立起来,态度非常严肃地说:“我虽一介穷儒,但从不为五斗米折腰,你请回去复命吧!”

夏丏尊书室趣联

陈于德 稿　刘麟书 整理

1919年,浙江省立第一师范学校首先响应“五四”新文化运动,当时一师校长为经亨颐(字子渊、上虞人),教员除夏丏尊之外,还有陈望道、刘大白等多人,他们都反对读经复古,提倡新文化,在浙江领导了这次运动,但受到当时政府官绅的压制。

1920年,夏丏尊辞去一师工作,回到他家乡上虞白马湖。1921年，上虞人陈春润出资兴办春晖中学于白马湖，邀夏就近任教，他风趣地在书室题上一联："命苦不如趁早死，家贫无奈做先生。"反映旧社会教书先生苦闷的心情。

1927年，夏丏尊在上海复旦大学中国文学科担任主任，主讲中国哲学史，校方未及向学生介绍，夏步入教室，不声不响地在黑板上作了自我介绍，用粉笔在黑板上写："夏丏尊，浙江上虞人，没有什么洋翰林、博士头衔，但希望注意：是丏尊，不是丐尊。"其风趣如此。

海外创业者汤韦存

王遂今

1912年，汤寿潜不就民国临时政府交通总长，携次子韦存游历南洋。韦存其时刚留学日本归来，有志于办橡胶事业，汤寿潜力促其成，就在新加坡对岸的柔佛购地二千余英亩办橡胶园，命名为明庶农业公司(取"明于庶物"之义)。汤寿潜不名一文，资本商定由长子拙存和蒋抑卮、蒋孟苹三人筹垫，而由韦存负责经理其事。汤韦存向国内招募工头十余人，再雇用当地土著，披荆斩棘，不畏毒蛇，不避烈日，亲自开拓。向来种橡胶者都与菠萝蜜间种，四年后可收菠萝蜜，取回部分成本，再四年后方可收橡胶。不料当明庶公司菠萝蜜收割下时，正逢第一次世界大战，无法销出，只好当做肥料；等到大战停止，英国殖民政府又限制胶价和产量。到1924年，三个股东已垫出规元四十万两，资金难以周转，只得添招新股。叶揆初这时在汤拙存、蒋抑卮的推动下，入股一万两，在举行董事会时，又被推为董事长，汤韦存则为董事兼经理。这个明庶农场虽然历尽艰难，但赖汤韦存之殚精竭虑，躬亲劳役，终于成为该地诸华侨农场之最优秀者。

不期数年之后，韦存因疲劳过久，感受炎邪而病倒，只得回国休养，而明庶橡胶园亦遂趋于退化，蔓草滋生，声誉不复如当年矣。不得已，韦存力疾前往整顿。未及两年，旧病复发，类似偏中，而心犹未甘，抑郁难伸，病状加重，时抗战已开始，海上风云甚紧，叶揆初建议请执教于交大、暨大之韦存长子彦颐前往考察。彦颐周咨博访，知事已难以为继，非出售不可，归来请示乃父。适有暨大毕业的周君，有意经营此业，乃定议让渡。彦颐两次去新加坡，又遇太平洋战起，售款遭冻结，直至1946年才全部取回，始告了结。韦存则转侧床上，每晤叶揆初常作痛哭之状，迁延至1947年春逝世。

此一由汤寿潜发起，由其子韦存经营之橡胶事业，当可视为杭州人向海外开拓创业之伟举。先人筚路蓝缕，艰苦卓绝，良可感叹！而汤韦存从事此业终其一生，死犹不甘，更可钦仰。

袁思永选送蒋介石留学日本

黄萍荪

光绪三十三年(1907),蒋介石入保定军官学校,不久即离开军校到浙江督练公所(训练新军机构)任事,以其机智出众,成绩优异,获公所总参议袁思永的赏识。

袁思永,字巽初,湖南湘潭人。父树勋,曾任清两广总督。思永以道员分发两浙,缘浙抚增韫与树勋有旧,委以督练公所总参议。

1908年,在一次保送东渡深造的机会中,思永亲试蒋介石,大满意,蒋介石得公费留日之选,入东京振武军事学校学习。蒋介石在显贵后一次抵杭,寓今南山路澄庐,思永往谒,据云蒋执弟子礼,询其生活情况颇详。返宁后,寄一聘书,聘为军委会高级参议,月支伕马五百元,毋庸到差,直至抗战开始方止。

马叙伦《石屋续瀋》中《袁巽初词》下载:

> 袁巽初,名思永,湖南人。故清两广总督袁树勋之子,曾从吾浙汤蛰先丈寿潜学;少年,即以道员官吾浙,清末,任督练公所总参议;蒋介石之赴日留学,曾受其试,称弟子焉。

袁虽受蒋禄,不仅无由衷之感,且对其行

事、处世及治国方针，尤多不满，曾填《木兰花慢·登豁蒙楼远眺》一阕讥之，词曰：

一层楼更上，趁薄醉，倚危阑，望险堑龙蟠，雄关虎踞，大好江山。神州陆沉，岂忍待，凭谁横海挽危澜？记六朝金粉，南都此地偏安。朱轮翠盖自斑斑，几辈济时艰，把纸上经纶，刀头策略，冷眼偷看；浮云尚笼暗影，在乱鸦残柳夕阳间，剩取秋光可爱，栾花红照愁颜。

自注云："鸡鸣寺山麓，有栾木数株，秋深作花，红艳可爱，为他处所无。"

时东北早陷，华北垂危，庙堂仍唱"攘外必先安内，安内必先'剿匪'"。袁词填于此时，历史与现实的意义非常突出。此词一出，早有青蝇嗡嗡于蒋，欲加以罪，幸得陈布雷从旁缓颊，始寝。

抗日战争胜利，袁返回西湖湖畔寓所，检点行箧，无意中发现蒋当年留日前申请公费补助的申请书一纸，称袁"夫子大人"。袁常以示人，耳报到蒋，派人传语，欲袁自动上缴，袁佯诺之而迟迟未见实行，蒋滋不悦，认为有意出他洋相，命时任浙江省政府主席陈仪往索，袁说："馒头已吃到豆沙边了，他还那么顶真。"陈答："正因为吃到豆沙边，才愈顶真呢，不过，为日不多矣。"袁恐遭祸，隐于虎跑大慈寺者匝月，蒋去始出。

邵力子冬夜当皮袍

陈觉民

邵力子(1882—1967),浙江绍兴陶家堰邵家溇人,国民党元老,早年是我国著名的报人。他从1907年与于右任等人在上海创办《神州日报》进行反清宣传,开始了他的新闻生涯。

1915年,孙中山领导的中华革命党为了反对袁世凯称帝的野心,在上海创办《民国日报》。《民国日报》是中国国民党最早的报刊,以叶楚伧为主编;邵力子为经理兼编辑,馆址设在法租界天主堂街,于1916年1月22日创刊。

《民国日报》自创刊以后,十年以内,经济一直拮据,邵力子身居报社经理,首当其冲,左支右绌,真是"巧妇难为无米之炊"。报社中最大的支出是白报纸,当时的《民国日报》,经常拖欠各纸行的货款,日积月累,欠款愈积愈多,商人就通知该报社此后购买白报纸非现款不可。有一年冬天的晚上,《民国日报》社的现金头寸奇缺,无法张罗,报社职员向纸行去赊白报纸,空手回来,而当时各版均已排好,等待付印。时值寒夜,告贷无门,邵力子等几位编辑先生们,辗转寻思,别无他法,只有在编辑室内烧起通红的炭火炉子,大家脱下身上的旧皮袍子,叫工人拿到典当里当押现款,连夜在纸行里买到白报纸,马上付印。在旧社会上海租界里有“日夜典当”,是一种高利贷盘剥贫苦市民的行业。他们在火炉边渡过了寒冷的晚上，直到第二天早晨去通知家里送来棉衣才得回家去。1925年6月底,邵力子去广州黄埔军校任职,从此以后,他结束了《神州日报》开始的十九年的报人生活。

泰戈尔游西湖

魏风江

1924年4月,印度著名诗人泰戈尔来中国访问,他久闻西子湖风景如画,在到上海两天后,即4月14日清晨,乘车到杭州游览。同行的有印度国际大学研究院院长沈教授，艺术院院长波斯教授,美国农学家爱莫赫斯,以及我国作家徐志摩、瞿世英、王统照、林徽因等人。到杭州后,一行人都住在湖滨清泰旅馆,并曾游灵隐寺、孤山、西泠印社、六和塔、虎跑、三潭印月等名胜古迹,两次泛舟西子湖上。15日,他在杭州人民的欢迎会上作了演讲。在演讲中,他说:他看到上海很多的人,忙于追求优厚的物质生活,在十里洋场上钩心斗角，以学得欧美人的生活习惯为能事;而杭州人民,态度诚挚自然,衣着简单朴素,住处清静洁净,显然还保持着中华文化的精神。他在杭州的时候,有人叫他坐轿子上山看风景,他婉谢了。他说:如果要坐在中国劳动人民的肩膀上登上山顶,去欣赏西湖美景,那我宁可舍弃眼福了。

他在杭州住了两天,一行人于16日乘车回上海。

茅以升与钱江大桥

蒋杏沾

钱江大桥之建,对于开辟两浙交通,接轨东南各省,方便商贾行旅,实为客观形势所需。而当时日寇侵占我东三省,组织伪满,又酝酿什么"华北自治",步步进逼,激起国人抗日热潮。中日战争一触即发。建桥也是为了支援战争,保卫国家的需要。

建桥工程由我国桥梁专家茅以升主其事。茅以升接任后,即全力以赴,延聘中外专家及工程技术人员,排除万难,夜以继日地抓紧工程进度。自1934年11月11日破土开工,至1937年9月26日大桥铁路通车,历时仅九百二十五天。这时,"八·一三"淞沪抗战已开始,经钱江大桥南运物资甚多,最多时一天过桥的机车即达三百余辆,客货车有两千余辆。11月17日公路桥面开通后,步行过桥的人数每天达十万余万人,早晚不绝。

11月16日，南京军方派南京工兵学校姓丁的教官来杭州钱塘江桥工程处(时设在市内西湖饭店)找茅以升,说是奉了命令,因敌军逼近杭州,要在明日炸毁钱塘江桥,以防敌人过江。并说炸桥所需的炸药及电线、雷管等,都在外面卡车上。说着就取出公文给茅以升看,说明要桥工处协同办理,并限于明日完成。当时桥工处是归铁道部和浙江省政府共同管辖的,茅以升提出,现在铁道部并无炸桥命令，至少也要有浙江省政府命令,才能办;既然你有军方命令,那么,我们一同去省政府,候省主席决定再说。茅和丁同去找当时的省主席朱家骅，三人商量延迟几天再说,并会商办法。原来丁教官在南京拟定的计划是要炸五孔钢梁,使它们全落入江中。茅认为仅炸钢梁,而不同时炸桥墩,敌人还容易设法通车。于是茅以升告诉丁教官，我们在设计大桥时，已考虑到毁桥问题，在靠南岸的第二桥墩里,特别准备了一个放炸药的长方形空洞。经大家考虑再三，最后决定先把炸药放进要炸的桥墩的空洞内,以及五孔钢梁应炸的杆件上,然后将一百几十根引线从每个放炸药的地方，统统接到南岸的一所房子内,作为炸桥准备。17日埋放炸药完毕。从此以后,每天过桥的人都在炸药上面走过,火车也同样在炸药上风驰电掣而过。在桥通的第一天,桥里就先有了炸药,这在古今中外的桥梁史上,要算是罕有的了。

12月22日，战事紧逼，敌人进攻武康，窥伺富阳，杭州危在旦夕。23日1时许，上面炸桥命令到达了，丁教官就指挥士兵将装好的一百几十根引线，接到爆炸器上。这时北岸仍有无数难民如潮涌过桥，一时无法下手；等到5时许，隐约看到敌骑已到北岸桥头，江天暮霭，象征着黑暗将临，这才断然禁止通行，开动爆炸器，轰然一声巨响，满天烟雾，这座建好通车不到三个月的大桥，就此中断。当时茅以升也守候在南岸桥头。后来曾有人问过茅以升炸桥时的心情，他不加思索地回答说："这就好比必须亲自捏死自己的孩子一般。"

钱塘江桥炸后，茅以升曾写了《别钱塘》诗三首，以抒所怀。其中一首诗曰：

斗地风云突变色，炸桥挥泪断通途。

五行缺火真来火，不复原桥不丈夫！

好一个"不复原桥不丈夫"，写得何等气势不凡！茅以升此时早已有了抗战必胜、修桥必成的信念，并愿毕生为之不懈地奋斗。

蒋中正继顾孟余长中大

严在宽

1943年春，教育部长陈立夫任命蒋中正为中央大学校长，这无异于封建时代的礼部尚书派皇帝作国子祭酒，因蒋早已称为最高当局矣。事属离奇，然亦势所必至。笔者当时任中大学生(自治)会主席，对此事记忆犹新。

在蒋之前，校长为苏州人顾孟余，他曾任北大教授、教务长，是蔡元培的得力助手。后加入汪精卫的改组派，为汪派第二号人物，任国民党中央委员、铁道部长。但他既不满于蒋的独裁专制，更不满于汪的对日亲善，抗战爆发后，与蔡元培等旅居香港。在抗战艰苦的1941年，蒋派戴笠赴港请他回国，遭到拒绝；再派陈布雷携蒋亲笔信前往，约以赞襄国事，情辞恳切。顾随陈到渝后，不肯从政，愿办教育，出任中大校长。顾到校三日，在全校师生大会上宣布办学方针："学术思想自由，一切党派退出学校"，受到绝大多数师生欢迎，但为蒋介石、陈立夫所诟病。顾在校期间，着意改变保守学风，尊重卓有成就的老教师，延聘有开拓性的新教师，让学生邀请各界著名人士到校演讲，其中有吴玉章、郭沫若、黄炎培、史良、章士钊等。学校文学艺术团体活跃，墙报如雨后春笋，成为中大的黄金时代。1942年夏，顾孟余在学生毕业典礼上宣称："要把中大办成最高学府，与牛津、剑桥、哈佛、耶鲁相媲美。"全校师生员工闻之欣喜若狂。但由于扩充校舍和发展学校的经费被卡住，学校陷于困境。1942年下半年，学校新建一批房舍，教育部不肯拨款，理由是教育经费困难。建房未经批准，而建筑单位又催款甚急，顾无可奈何，向教育部提

出辞职，挂冠而去。

我从训导长周鸿经处闻悉顾辞职离校，当晚即召开学生会干事会，一致通过坚决挽留。为表示决心，发动同学在校内外到处贴满标语；并以变相罢课方式组织各院系同学轮流吃饭。一面派代表请顾先生回校；一面组织大批同学徒步进城到行政院请愿，中途为警察所阻，即转道赴歌乐山国府主席林森官邸请愿。这时林早已避去。干事会诸人乘校车到行政院，参事张平群出来敷衍一阵。再到教育部，陈立夫出来讲话，对建房经费问题避开不谈，但说顾校长自己不愿干，你们要挽留去找他好了。接着就责备我们“闹事”、“罢课”，双方发生争论，没有结果。从此学校陷于瘫痪近月。在此期间，教育部决定另派校长。先是顾毓琇，次是程天放，再次李蒸。每有消息，全校就贴满反对的标语，他们都不敢到校。教师虽未出面，但都站在学生一边。教育部骑虎难下，打出了最后一张“王牌”，发表蒋中正为中央大学校长，朱经农为教育长。

顾孟余被迫辞中大校长职务后，隐居重庆南岸，抗战胜利后返沪。因上海无房产，故长住公寓。1949年元旦，蒋介石下野，李宗仁代理总统，请顾作行政院副院长，同赴台湾，他既不就职，亦不赴台。全国解放后病终于苏州老家。

“老第一”王国松

茅蔚然

王国松，1902年6月29日出生于温州五马街一个手艺商人的家庭。1915年12月，王国松小学毕业，在全县小学毕业生统考中名列榜首。但是他的父亲王延庚却希望儿子跟自己学银匠手艺，以便凭手艺养家糊口，成家立业。王国松的祖父王梦熊(字肯之)曾考取武状元，由于怀才不遇，更着意培养孙子。于是，王国松的父亲就和儿子约定：入学考试名列前三名和免缴学费，则同意升学。结果，初中入学考试，王国松名列第一。

自1916年秋至1920年夏，王国松在温州中学读了四年(不分初、高中)，年年考第一，毕业考试也是第一名。1920年8月，王国松以第一名的优秀成绩考入浙江公立工业专门学校(浙江大学前身)学习电机工程。1925年夏，王国松又以第一名的成绩毕业，根据他的操行和才智，工专校长决定把他留在母校任助教。

1930年6月，王国松由浙江大学(时工专已改为浙大)保送，并因在公费留学考试中成绩特别优异，于8月赴美国康乃尔大学研究院学习电机工程。康乃尔大学有一次难度很大的考试，共有七道非常复杂的试题，限定一小时内做完。王国松在限定时间内不仅做完，而且答对全卷，使美国教授大为惊奇，称赞他："创康乃尔大学纪录。中国人聪明，真了不起！"

1931年，王国松以一年的时间，获得康乃尔大学电机工程硕士学位。1933年6月，王国松以不到两年半的时间，通过毕业论文《平行导线的集肤效应》，荣获哲学博士学位。由于王国松在康乃尔大学开创了奇迹般的优异成绩，使康乃尔大学对浙大毕业生非常信任，从此以后，凡浙大毕业生如徐洽时、侯家煦等均可免试进入康乃尔大学研究院深造。王国松在美国为浙大赢得了崇高的荣誉。当时，凡是熟悉王国松的人都称他为"老第一"和"温州才子"。

朱洗得名之由来

彭君礼

朱洗(1900—1962)，原名永昌，字玉文，浙江临海双港店前村人。他出身于一个农家，自幼聪颖，勤学不殆，塾师每为之加课。就读回浦高等小学时，与冯德培、毕修勺订交。1918年秋，入省立第六中学(今台州中学前身)，益加勤奋，每晚自习，必尽三支清香，方始就寝，学冠全班，名满全校；会"五四"运动，奋起响应，卒被开除学籍。

旋闻有赴法勤工俭学事，即至上海，以其锐志与聪慧，得蔡元培先生的赏识，荐其入商务印书馆当排字工人，筹措赴法川资。1920年夏，赴法国勤工俭学，他白天做工谋生，晚上补习法文及其他课程。1925年冬，考入蒙伯利埃大学，师事法国著名胚胎学泰斗巴德莱教授，朱洗学业精进，成绩优异，深得导师的钟爱。一年后，朱洗积蓄告罄，欲休学勤工，向教授辞行，教授大惊，禀明校长，遂收朱洗为生物实验室研究助理，以绘图、切片所得工资供学习和生活费用。朱洗八年间与巴德莱教授合作发表科学论文十四篇，师徒二人首创青蛙单性生殖研究成果，震动了国际生物界，朱洗成为世界胚胎学研究的一颗耀眼的新星。1930年，获得法国国家博士学位。1932年冬回国，一直从事教学科研工作，对生物科学作出了重大的贡献。

1920年，朱洗到法国巴黎时，身边尚有余钱可供半年就学之需。时恰遇两个浙江同乡生活费、学费无着，流落街头，他急人之急，放弃自己入学机会，倾囊相助。不久，他自己竟至挨饿，他苦笑着对同伴说："父母给我取名玉文，指望我抱玉怀文，读书成器，而今倒好了，饿得掉玉(肉)，穷无分文，可谓光身如洗，实宜改名为'洗'。"从此改名"朱洗"，立誓清白一生，从贫穷中奋斗，争做人类的知识富翁。

陈果夫调作“虾仁锅巴”

王克文

在江南一带乃至全国的许多地方，酒宴席上通常都有一道名叫“鸡丁虾仁锅巴”的菜。那是用鸡丁、虾仁或干贝之类作主料，外加番茄酱、咖喱粉、生粉之类的辅料烧成的。这道菜的创始人是湖州人陈果夫。

1934年秋，陈在江苏时，自己动手设计了这道菜。其调作方法是：用原汁鸡汤，佐以虾仁、番茄酱及生粉等，一起煮成羹汤，倒入油炸热锅巴之中。由于鸡和虾仁味美，番茄色泽鲜艳，锅巴香酥，汤浇到锅巴上还发出悦耳的声响和团团雾气，可谓色、香、味、形、音俱佳，中吃、中听、中看、中嗅。陈果夫还说此菜有几个对称：鸡、虾和番茄、锅巴，动植物均有；且动物中一水一陆；植物中有中有外(番茄是国外移植而来，故曰外)；动物一傲(鸡)一屈(虾)；锅巴性燥，汤汁性湿。所以他自称这道菜为“天下第一菜”。而且还兴高采烈地写了《天下第一菜颂》。颂曰：“天下第一名菜，色声香味皆齐备。宴客原非专惠口，自应兼娱眼耳鼻。此菜滋补价不贵，可代燕耳或鱼翅。番茄、锅巴、鸡与虾，不独味甘更健胃。燥与湿兮动与植，中外水陆品类萃。勇能赴敌屈能伸，此物尤可激志气，我今郑重作宣传，每饭不忘愿同嗜。”至于他是否每餐都要吃“虾仁锅巴”，则不可考。

浙大设“火腿系”之争

蒋琦亚

1932年秋季的一天，浙江大学农学院森林化学实验室内，森林系教授、系主任梁希和金宝善副教授等正在谈论着实验室图书、试剂、仪器严重不足，影响研究工作的开展等问题。突然郭任远校长来电话，请梁教授去商议要事。梁教授走进校长室，意外地看到国民党组织部长陈果夫与郭校长并坐在里面，心里不觉一愣，想这位大人物来，有何公干？

寒暄后，陈果夫笑着对梁教授说："金华火腿名闻世界，所以浙大农学院应该设立一个"火腿系"，你我是同乡，许叔玑院长又是你的老朋友，故我特地来请郭校长和你支持，并麻烦你向许院长转告我的意见，请玉成其事。"郭校长马上随声附和："我认为陈部长这个指示是对浙大的关心，也是为了使教育事业服务于社会，老梁，我想你定会鼎力相助的。"梁教授听了以后，感到又气又好笑，他清瘦的脸庞表情严肃，半晌才说："我想农业是国家根本，目前农学院面临经费不足,实验设备奇缺,教学工作步履艰难的局面,当务之急应加强工作指导,增加教育经费……”陈果夫一听,觉得话不投机,但仍故作镇静地说:“请往下说。”梁说:“我认为,火腿是一种特产,中国特产多,在大学里设这类系,似与办学原则不符。”

陈果夫满以为藉自己的地位,加上郭任远的凑合,定能得到梁教授的支持,想不到一开口就碰上了钉子。但他并不罢休,说:“这样吧,这件事,烦老梁和许院长认真考虑一下,农学院的经费问题可另行研究,‘火腿系’也要想法办起来,老梁,我静候佳音,拜托拜托!。”

事后,梁教授与许院长交换了对这件事的看法,都深感荒唐,就决定顶住,不予理睬。陈果夫等着没有消息,又找郭任远。郭在陈的授意下,对许、梁施加种种压力。1933年春,郭扬言要改组农学院,又给许院长加上许多莫须有的罪名,许愤而辞职,只身去北平。梁教授和金宝善等也愤而辞职。消息传出,农学院同仁都为之不平,有六十八位同仁一起离开浙大,以示对当局和校方的抗议。

在离开浙大的前夕,浙大的一些同仁在西子湖畔为梁教授饯行,梁教授即席赋诗一首:

湖上起风波,湖边饮太和。
南宋山河小,东林意气多。

讽当局在日寇压境,民族危机深重的年代里,竟与南宋小朝廷一样,苟安江南。表示要像东林党人一样，坚持与权势作斗争，抒发了他的忧国之思和凛然正气。

这首诗传到陈果夫耳朵里，陈果夫只好苦笑，从此再也不提“火腿系”之事。

竺可桢书条幅勉学生

刘操南

抗战时期，余负笈浙江大学。在广西宜山读书时，龙江畔斋舍为茅庐。雨时泥泞，杂草怒生，生活条件较差。竺可桢校长，曾书条幅，以“宁寒于体，勿寒于义；宁馁乎身，勿馁乎仁”，勉同学以进德修业，求是求真。王季梁院长则用谐语，写了一户铁匠铺对联：“几间东倒西歪屋，一个千锤百炼人。”以千锤百炼相勖。师长训诲，拳拳服膺，未敢一日忘也。

茅盾在日本京都

钱　青

1928年冬，茅盾从东京来到京都。杨贤江的夫人姚韵漪通知几个熟悉的中国留学生钱青等与茅盾晤面。有一次，大家去京都公园游览，并围坐在樱花盛开的草坪上野餐，突然，“支那人，支那人”，一种轻蔑中国人的声音从背后传来，使在座的几位中国留学生游兴顿失。这时，茅盾和蔼地说：“不要懊丧，不要自卑，祖国是可爱的。我们要有自尊心与自豪感，要为祖国争气，为祖国争光。只要我们同心同德，总有一天中国人是会抬起头来的。”

当时，茅盾在日本的生活非常简朴，他每日写稿很忙，自己又要料理饮食起居。他招待几位中国留学生午膳，炒的牛肉丝既鲜又嫩，大家都很惊异，没想到这位著名的文学家还能烧得一手好菜。大家问茅盾什么时候学会烧菜的。茅盾笑着答道：“1927年从牯岭回到上海，躲在小楼上写小说，疲倦了就走下楼来看母亲与德沚(茅盾夫人)烧菜。我也好奇地执铲弄勺以解闷。到了日本，就真要自己动手了。”茅盾风趣地又说：“自己剥壳的花生分外香，亲自动手烹调的菜肴格外鲜。”

为李恢伯焚券弭债

朱荣培

李恢伯，是20世纪20年代湖州工商界名人，他一生对开发湖州实业，从事地方公益事业成绩卓著。他曾与人合资开设义成绸厂，后又独资创办又成绸厂。1923年被推举为湖州商会会长，其间与绅商一起，先后创办太湖、永顺两轮船公司，以及吴兴病院、吴兴舞台、平民习艺所、市政公所等，后又倡议成立吴兴丝织业同业公会，并任会长。

恢伯一生清励自守，身后萧条，湖绅钮介臣(今湖州达昌绸厂之创始人)等为之焚券弭债，乡里情深谊长，一时传为美谈。其《为李公恢伯焚毁会券启事》略谓；“故友浙湖李恢伯先生，蓄道德，能文章，以前清光绪拔贡铨署湖北知县，曾膺浙江省省议会议员，因目击官场污浊，一意在本籍振兴实业为己任。最难能可贵者，当江浙战起，孙传芳亲率所部，陈兵湖郡，扬言非得饷银若干，当取‘自由行动’。此际当地绅富多避难异地，独李公以地方为重之心，亲冒锋镝，进言当局，以兵毋扰民为交换条件，勉筹饷糈以应，一方得以保全。论其仁德，实堪尸祝一邑，俎豆千秋。不意不肖之徒，反以中饱诬之。李公安之若素，置不与辩。噫！此何等怀抱，何等度量耶！……”

其“焚券启事”为恭楷中摺本，上署钮介臣、王葆荪、娄凤韶，时为民国二十八年十二月，现珍藏于恢伯公之哲嗣李学润先生处。

王宽诚深算致富

周采泉

王宽诚，宁波市人。早年为纸行学徒，胸怀大志，稍长去沪，以经营面粉业等，渐臻富裕。我曾见其人，身体魁伟，南人北相。后来他把事业重心转移到香港，他亦随着去香港。不久，日本侵占香港，强迫市民用"军用票"，停止使用香港汇丰银行所发行钞票，原有港币形同废纸。他认识一英人，问将来日军如退出香港，英人收回香港后，汇丰所发行之钞票是否兑现。英人答：英人最崇信誉，汇丰钞票，届时十足兑现，毫无疑问。王宽诚以其言为然，即委人秘密收购港币，托言是某纸厂作为造纸原料者。积年，所收购得之港币，数以亿万计。日本投降，汇丰复业。旧发之港币，恢复流通，而库存现钞一时不够应市，新钞又来不及印，正在惶惑，王宽诚往日以废纸价所收得之巨额港币乘机出笼，收购大量物资，立时成为"百万富翁"。汇丰银行以股票换其一部分港币，并延请他为董事，并为行政负责人。

汇丰银行自清代咸丰、同治年间在上海设立银行，历时百余年，抗战中并入香港总行。王宽诚进入汇丰，大为国人吐气。王宽诚热忱爱国者也，多年来他欲为国家多造就人才，特拨巨款作为"王宽诚奖学金",聘请专家教授组织委员会,对申请奖学金者进行严格考试,分批资送到英、美留学者不下数十人。热爱祖国,热爱青年,为社会办了一件大好事,真可谓"富而好施"矣。其殁也,《人民政协报》曾有文专题介绍,我则就吴荷轩所提供之资料作为补遗。荷轩为吴涵秋医生次子,涵秋则宽诚之好友也。

查良镛在联合高中

叶炳炎

香港著名武侠小说家金庸,原名查良镛,出自海宁望族。抗战时,我与金庸在浙江丽水碧湖浙江省立联合高中同窗。

1940年前后,查良镛攻读于联合高中。他是学校的高才生,数理化成绩优异,英语、国文更是出色,能写得一手好文章。当时校内各班级学生可自由编写壁报。1941年某日课余,忽然人头挤挤,有数十人在围观图书馆外走廊的壁报,前排有人高声朗诵,后面谛听的,无不拍手称快。原来壁报上刊有《阿丽丝漫游记》一文,描述阿丽丝小姐不远千里来到联高校园,兴高采烈遨游东方世界之际,忽见一条彩色斑斓的眼镜蛇东游西窜,吐毒舌,喷毒汁,还口出狂言威吓教训学生:"如果……你活得不耐烦了,我就叫你永远不得超生,……如果……”眼镜蛇时而到寝室,时而到教室,或到饭厅,或到操场,学生见之纷纷逃避。文章讽喻训导主任沈乃昌。他戴眼镜,讲话时常夹着“如果”二字,学生就以“如果”作他的绰号。这是一位令人讨厌的、不近情理的训导主任,人皆敬而远之。文章假阿丽丝之口,讲出了学生想讲而不敢讲的话。故读壁报者拍手称快。文章作者就是查良镛。

文章刊出后,当天全校师生都知悉。沈乃昌大恚,恼羞成怒,下令查办。几天后,沈乃昌逼校长作出决定,开除查良镛。以后良镛转入他校学习,他的文学创作才华和敢于反抗强权的精神却长留在联高同学的回忆中。

载湉之死

张宗祥

清光绪三十四年戊申(1908),距庚子联军入京八年,光绪帝载湉以病闻,西后鉴于欲立大阿哥之事,各省督抚及外国使节,或有违言,乃下诏征求各省医生入京诊治。浙江巡抚冯汝骙,以浙江候补知县江都杜钟骏荐。杜于七月初三日自浙起程,航海赴津。事后著有《德宗请脉记》一卷,留传不多,今节其略,以存史实。

十六日,由内务大臣带领请脉,先到宫门,带谒六位军机大臣,在朝房小坐。八钟时,陈君莲舫名秉钧先入请脉,次召予入,予随内务大臣继大臣（按即继禄）至仁寿殿帘外，有太监二人先立，须臾，揭帘，陈出，继大臣向予招手入帘，皇太后西向坐，皇上南向坐，先向皇太后一跪三叩首，复向皇上一跪三叩首；御案大如半桌，皇上以两手仰置案端，予即以两手按之。皇上问曰："你照我脉怎样？"予曰："皇上之脉，左尺脉弱，右关脉弦。左尺脉弱，先天肾水不足；右关脉弦，后天脾土失调。"两宫意见素深，皇太后恶人说皇上肝郁，皇上恶人说自己肾亏，予故避之。皇上又问曰："予病两三年不愈，何故？"予曰："皇上之病，非一朝一夕之故，其所虚者，由来渐矣。臣于外间治病，虚弱类此者，非二百剂药不能收功；所服之药有效，非十剂八剂不轻更方。"盖有鉴于日更一医，六日一转而发也。（案此为内廷定例。）皇上笑曰："汝言极是，应用何药疗我。"予曰："先天不足，宜二至丸，后天不足，宜归芍六君汤。"皇上曰："归芍我吃得不少，无效。"予曰："皇上之言诚是，以臣愚见，本草中常服之药，不过二三百味，贵在君臣配合得宜耳。"皇上笑曰："汝言极是，即照此开方，不必更动。"予唯唯，复向皇太后前跪安而退，皇太后亦曰："即照此开方。"行未数步，皇上又命内监叮嘱勿改动。是时，军机已下值，即在军机处疏方。甫坐定，内监又来云："万岁爷说，你在上面说怎

样，即怎样开方，切勿改动。”指陈莲舫而言曰，勿与彼串起来，切切叮嘱而去。予即书草稿，有笔帖式司官多人，执笔伺候誊真。予方写案两三行，即来问曰：“改动否。”予曰：“不改。”彼即黄纸誊写正楷，校对毕，装入黄匣，计二份，一呈皇太后，一呈皇上；赐饭一桌，由内务府大臣作陪。饭毕，奉谕：“汝系初来插班，二十一日系汝正班。”当即退下。至晚，有内使来传云：“皇上已服你药，明早须伺候请脉。”次早请脉，情形大致与昨日同。饭毕，皇太后传谕；“改二十二日值班。”予向内务府大臣曰：“六日轮流一诊，各抒己见，前后不相闻问，如何能愈病，不比当差，公等何不一言。”继大臣曰：“内廷章程向来如此，予不敢言。”嗣见陆尚书曰：“公家世代名医，老大人《世补斋》一书，海内传诵。公于医道，三折肱矣。六日开一方，彼此不相闻问，有此办法否？我辈此来，满拟治好皇上之病，以博微名。及今看来，徒劳无益，希望全无，不求有功，先求无过，似此医治，必不见功，将来谁执其咎，请公便中一言。”陆公曰：“君不必多虑，内廷之事，向来如此，既不任功，亦不任过，不便进言。”予默然而退。于是六日一请脉。八月初八日，本旨：“外省所保医官六人，着分三班，两人一班，两月一换，在京伺候请脉。张彭年、施焕着为头班，陈君秉钧、周景焘着

为二班，吕用宾、杜钟骏着为三班，每人每月给饭银三百五十两，钦此。”是日，皇上交下太医院方二百余纸，并交下病略一纸，云：“予病初起，不过头晕，服药无效，既而胸满矣，继而腹胀矣。无何又见便溏遗精，腰酸脚弱，其间所服之药，以大黄为最不对症；力钧请吃葡萄酒、牛肉汁、鸡汁，尤为不对。尔等细细考究，为何药所误，尽言无隐，着汝六人共拟一可以常服之方，今日勿开，以五日为限。”退后，六人聚议，群推陈君秉钧立稿，以彼龄高望重也。陈君直指太医前后方药矛盾之误，众不赞成。予亦暗拟一稿，以示吕君用宾，吕怂恿予宣于众，予不愿，乃谓众同事曰：“诸君自度能愈皇上之病，则摘他人之短，无不可也。如其不能，徒使太医获咎，贻将来报复之祸，吾所不取。”陈君曰：“予意欲南归，无所顾忌。”予曰：“陈君所处，与我辈不同，我辈皆由本省长官保荐而来，不能不取稳慎，我有折衷办法，未悉诸君意下如何？案稿决用陈君，前后不动，中间一段，拟略为变通，前医矛盾背谬，宜暗点而不明言。”众赞成，嘱拟作中段，论所服之药，热者如干姜、附子，寒者若羚羊、石膏，攻者若大黄、枳实，补者若人参、紫河车之类，应有尽有，可谓无法不备矣，无如圣躬病久药多，胃气重困，此病之所以缠绵不愈也。众称善，即以公订方进。

进后，皇上无所问。皇太后万寿前数日，谒奎大臣，询万寿在即，我等是否上去祝嘏。奎曰："汝等有贡，已经备偿，如何不去。"时外间传言，皇上在殿上哭泣，问其有无此事。奎曰："诚有之。一日，皇上在殿泣曰：'万寿在即，不能行礼，奈何？'六军机同泣。头班张、施两位之药，毫无效验，君等在此，我未尝不想一言，俾君等请脉，然君子爱人以德，转不如不诊为妙。"十月初十日，赴海子祝嘏，皇太后于仪鸾殿受贺。十一日，皇太后谕张中堂之洞曰："皇上病加剧，头班用药不效，予因日来受贺听戏劳倦，亦颇不适，你看如何？"张曰："臣家有病，吕用宾看看尚好。"皇太后曰："叫他明日来请脉。"次日，两宫皆吕一人请脉。十六日，犹召见臣工。次夜，内务府忽派人来急遽而言曰："皇上病重，堂官来叫请你上去请脉。"予未及洗脸，匆匆上车。行至前门（按其时杜寓杨梅竹斜街斌升店），一骑飞来云："速去速去。"行未久，又来一骑，皆内务府三堂官派来催促者也。及至内务公所，周君景焘已经请脉下来，云："皇上病重。"坐未久，内务府大臣增崇引予至瀛台，皇上坐匟右，前放半桌，以一手托腮，一手仰放桌上。予即按脉，良久，皇上气促口臭，带哭声而言曰："头班之药，服了无效，问他又无决断之语，你有何法救我。"予曰："臣两月未请脉，皇上大

便如何?"皇上曰:"九日不解,痰多气急心空。"予曰:"皇上之病,实实虚虚,心空气怯,当用人参;痰多便结,当用枳实;然而皆难着手,容臣下去细细斟酌。"请脉看舌毕,因问曰:"皇上还有别话吩咐否。"谕无别话。遂退出房门外,皇上招手复令前,嘱未尽病状,复退出,至军机处拟方。予案中有实实虚虚,恐有猝脱之语。继大臣曰:"你此案如何这样写法,不怕皇上骇惊么。"予曰:"此病不出四日,必出危险。予此来未能尽技为皇上愈病,已属惭愧,到了病坏,尚看不出,何以自解。公等不全写,原无不可,但此后变出非常,予不负责,不能不预言。"奎大臣曰:"渠言有理,我辈亦担当不起,最好回明军机,两不负责。"当带见六军机。六军机者,醇邸、庆邸、长白世公、南皮张公、定兴鹿公、项城袁公。醇邸在前,予即趋前言曰:"皇上之脉疾数,毫无胃气,实实虚虚,恐有内变外脱之变,不出四日,必有危险,医案如此写法,内务三位恐皇上恐怕,嘱勿写,然关系太重,担当不起,请王爷示。"醇邸顾张中堂而言曰:"我等知道就是,不必写。"即遵照而退。次日上午,复请脉,皇上卧于左首之房临窗匠上,仍喘息不定,其脉益疾劲而细,毫无转机。有年约三十许太监,穿蓝宁绸半臂,侍侧传述病情。至十九夜,与同事诸君,均被促起,但闻宫内电话

传出预备宾天仪式，疑为已经驾崩。宫门之外，文武自军机以次，守卫森严。次早六钟，宫门开，仍在军机处伺候，寂无消息，但见内监纷纭，而未悉确实信息。至日午，继大臣来言曰："诸位老爷们久候，予为到奏事处一探信息，何时请脉。"良久，来漫言曰："奏事处云：'皇上今日没有言语，你们大人们做主。'我何能做主，你们老爷们且坐坐吧。"未久，两内监来传请脉，于是予与周景焘、施焕、吕用宾四人同入。予在前，先入，皇上卧御床上，其床如民间之床，无外罩，有搭板，铺毡于上，皇上瞑目。予方以手按脉，瞿然悟寤，口目耳鼻忽然俱动，盖肝风为之也。予甚恐，虑其一厥而绝，即退出。周、施、吕次第脉毕，同回至军机处。予对内务三公曰："今晚必不能过，可无须开方。"内务三公曰："总须开方，无论如何写法均可。"于是书危在眉睫，拟生脉散，药未进。至申刻而龙驭上宾矣。先一时许，有太监匆匆而来曰："老佛爷请脉。"拉吕、施二同事去。脉毕而出，两人互争意见，施欲用乌梅丸，吕不谓然，施曰："如服我药，尚有一线生机。"盖皇太后自八月患痢，已延两月之久矣。内务诸公，不明丸内何药，不敢专主，请示军机。索阅乌梅方，见大辛大苦，不敢进，遂置之。本日皇太后有谕："到皇上处素服，到皇太后处吉服。"次晨，召施、吕二君

请脉，约二小时之久，施、吕下来，而皇太后鸾驭西归矣。

据杜氏所记，光绪卒于十月二十日未时，西后卒于二十一日辰时，其间相去仅九时。光绪之病为衰弱，实先起于肠胃，故有胸满腹胀之症。西后之病为痢疾。光绪九日不大便，且病拖至二三年之久；西后痢疾，亦任其延搁至二月以上，此皆非病不可医，药不能治，其所以不医不治者，实日必易医，医必易方之恶例杀之也。然二人同死，宣统一孩竖继之，实亦促使满洲皇朝速覆之一助。记中叙光绪病历颇详，似不至若世所传出于鸩毒。惟光绪十六日尚召见臣二，又非急病，何二十日即奄然而逝，则杜氏叙述虽详，宫闱事秘，要不能无疑也。

瀛台为光绪幽拘之处，在海子中，径通一桥。辛亥后，予曾游之。一切陈设，尚如旧时。光绪所卧木小床及半桌等均在，如杜君所记，仅桌上尚有一木制帽架，记所未及。

李钟岳与“秋案”

沈定庵

清光绪三十三年(1907)农历五月廿六日，徐锡麟在安庆起义失败，消息传到绍兴，绍兴知府贵福欲藉此兴大狱，亲往杭州请准浙江巡抚张曾敭派新军三百人来绍兴,围攻大通学堂,逮捕了秋瑾及学生十余人。贵福会同山阴、会稽两县令连夜会审,无所得,命暂羁押山阴县狱,并对山阴知县李钟岳说:“来日烦君研讯,胁以严刑,各得确供。”

翌日上午,李承贵福之命审理“秋案”,公堂设在山阴县署花厅，李坐炕上，厅右下角置一椅,提秋入,命坐。

问:“你是否为革命党?”

答:“是。”

问:“革命何为者?”

答:“吾所主张，为男女革命，初未触犯法网,不审何由见逮?”

李颦蹙不语良久，旋以素纸及桌上朱笔授秋瑾说:“闻你文理尚优，可随意书写数字见示。”秋瑾初书一“秋”字，经李一再催促，乃续成“秋雨秋风愁煞人”七字，并说:“素不工书，又不惯用毛笔，请赐钢笔一用。”李立命备钢笔、墨水及洋纸簿一本授秋书写，约一小时始毕,李命还押,持供词往见贵福。贵讯李曰:“君乃延阶下囚为座上客。”李曰:“顾秋某既无公然谋叛证据,骤以严刑胁供,三木之下,何求不得,似难成为信谳。”贵语塞,即端茶送客。旋密电浙江巡抚:“前据胡绅道南禀称，大通体育会女教员秋瑾谋于六月初十边起事。查阅该匪亲笔讲义,斥本朝为异族,证据确实,应请先行正法。”

当晚即得复电照准，时已午夜，贵福即传李钟岳入署，示以抚署电文，并委李监斩。李复婉陈曰："谨按大清例，必谋为不轨，情真罪实，乃伏厥辜，今秋某并无确供，遽处极刑，衡情酌理，似失其平，务请大人从长计议。"贵福呵斥之曰："杀之可，不杀亦可，但张中丞之电总应电复也。"拂袖而入。

李返县署，绕室徬徨，频频挥泪，其内心之痛苦不言而喻，但又不得不遵札办理。升大堂，提秋瑾入，秋知已无幸免，然毫无畏色，侃侃而说："公之厚意，已铭肺腑，死复奚怨，但求三事：不枭示；不褫里衣；与家人诀别。"李曰："前二事，吾能曲从，惟第三项碍难照准。"秋默然不语，即昂然步行至轩亭口，从容就义。时为农历六月初六凌晨。

秋侠就义后，贵福复命李钟岳搜查秋家和畅堂，李则草草复命，使贵衔恨，潜奏劾之。不数日，李即被解职。离绍之日，父老聚而相送者数千人，卧辙攀辕，有为之泣下者。

李钟岳字申甫，山东安邱人。离任后，侨寓杭州，闭门谢客。对秋案之处理抱憾终身，对秋之被杀，耿耿于怀，将"秋雨秋风愁煞人"七字绝命词，什袭珍藏，无人时取出展视，昕夕无间，几成常课。数月后，李竟自缢死。浙人念其衷忱，入秋祠祀之。

月空和尚闹革命

钱式纯

清朝末年，浙江乐清柳市区湖头乡一个黄姓士人，是屡试不中的落第秀才。他富有民族意识，眼看满清政府贪污腐败，心中不满，乃响应孙中山先生的号召，参加了革命党，与同邑人陈梦熊进行推翻满清统治的活动。后被人检举，避难中雁山玉甑峰僧寺，在红岩洞削发为僧，法名月空。他云游温台一带，宣传民族革命思想，聚集一班生活无靠的贫农、樵夫，在玉峰寺内练拳习武，报名入伍者达八百余人。众推月空为首领，改名黄飞龙，番号称为“光复军”。

1909年，黄飞龙在革命形势逼人的情况下，探悉乐清县城清军兵力单薄，便率众七百余人，宣誓起义，打出“光复军”旗号。起义军迅速占领了永嘉、乐清交界的白云山中的道士岩，并取道白石街、合湖桥，越沙岙岭，自山弄大道进攻乐清县城。

乐清城内清军自知兵力单薄，闭门拒守。自清晨至暮，“光复军”饥饿懈怠，不克还军。乐城清政府向温州镇台告急，要求派兵清剿。温州镇台统领梅占元，安徽合肥人，属李鸿章的淮军，亲率陆军巡防营两营兵进剿。至白石，与“光复军”遭遇，打了几仗，“光复军”以武器不敌，且战且退，据十二盘岭北面饭甑岩及对面大飞泉岩背，扼险固守。梅占元派兵断其下山大路。岩上“光复军”缺乏枪弹，虽掷石如雨，仍不能阻敌前进。相持二十多天，双方各有死伤。时值夏末秋初雨季，正当危急关头，风吼雷鸣，大雨倾盆，涧水急泻，山路泥泞，清兵攻势懈怠。黄飞龙乘机挥师从新寺崎岖山路冒雨转移，入内山，嘱咐朱钊则、滕华钦两人率部向东北方向转移隐蔽，自己则与王炳炎、林华堂两人，扮成游方和尚潜出(后至普陀山住下)。梅占元挥兵攻入玉虹洞，扑了一空，捉住寺僧则友，竟夜盘问三次，则友和尚咬口回答不知去向。梅占元于次晨分兵搜山，抓到“光复军”掉队士兵四人，押带下山，在衙衜滩杀头示众，当时群众称为“道士岩案”。

清宣统三年(1911)武昌起义，全国响应。时杭州还未光复，乐清大荆镇周李光(六介)至普陀山邀月空，并招募敢死队，潜至杭州，策划光复杭州。后月空又率敢死队随军参加克南京天堡之役。月空因起义有功，被浙江军政府委为温州水上警备队官长(群众称之为“坐船官”)，同时恢复了黄飞龙的原名，时在1912年3月。一年后，二次革命起，黄飞龙又参战。革命失败，他又重做和尚避匿普陀山。此时林华堂叛变，月空于1914年5月被林华堂诱骗至杭州杀害。

陈英士与江浙财团

王遂今

陈英士，在辛亥革命中光复上海，厥功甚伟。“江浙财团”对于他革命事业的支持，也作出了贡献。但陈英士并不是“江浙财团”之首脑。这里举几件事：

1912年，上海都督陈英士命中国银行上海分行经理宋汉章(余姚人)筹饷，宋以中国银行为官商合股，个人不可做主，婉言拒绝。陈乃设计宴宋于小万柳堂，其地前门为租界范围，后门则为苏州河岸，为中国军警力所能及。宋应邀前往，席间一言不合，陈即下令军警从后门将宋绑架上了木船，予以扣押，被禁达两周之久。卒因沪上名人之奔走而方获释。

陈英士因沪军都督府财政长沈缦云需往南洋劝募饷银，请朱葆三(定海人)出来接任财政长。朱虽支持革命，但对出任此职顾虑颇多，一再恳请，坚不接受。陈就想了一个办法，在张园召开上海各界人士代表会议，朱亦到会。不意会上陈提出财政长出缺应公推一人接任，何人为宜，与会者有推朱葆三者，一阵拍手，不由分说，就定了下来。朱葆三只好接受。

陈英士为了应付上海光复后浩繁的开支，

决定动用前清政府上海道存于各钱庄之巨款。可是前上海道台刘燕翼逃之夭夭，钱庄方面则按照钱业规定，坚持须凭存折才能付款。陈英士急了，竟把钱业领袖朱五楼(湖州人)抓了起来，软禁于闸北湖州会馆。钱庄业界闻讯大惊，原来朱五楼乃陈英士侄陈果夫的老丈人，陈对其至亲亦来这一手，足见其事急切至于不择手段。但经他这么一逼，钱业界倒被吓得退让了，商定由朱葆三出面给予收据，才解决了提款手续难题。

陈英士为一革命家，个人始终两手空空，不名一文，他并非江浙财团之首脑。江浙财团支持他，乃是支持辛亥革命。

萧山农民运动领袖李成虎

洪昌文

李成虎(1854—1922)，浙江萧山人。因其生于甲寅年，故名成虎，是近代萧山农民运动领袖。他自幼丧父，家境十分贫困，随母讨饭为生。他从青年到壮年，虽终岁勤劳，仍不免于冻馁之虞。

1921年4月，当地油菜籽丰收，油商乘机欺压农民，一面大量收购菜籽，一面却拒不付款。李成虎向同村人沈定一(中共早期党员)愤诉不平，沈提出组织农民协会以自卫的设想。时年过花甲的李成虎,立即振作起来,积极发动和组织农民,经过不到半年时间的组织发动,建立了中国共产党领导的全国最早的农民协会之一——衙前农民协会。1921年9月27日在萧山县东岳庙召开成立大会,并通过《衙前农民协会宣言》和《章程》,李成虎当选为协会委员和评事员,领导衙前农民开展以抗税减租和二五减租为中心的反封建斗争。在衙前农民运动影响下,萧(山)绍(兴)平原的钱清、绍兴、曹娥、百官等地八十多村争相效法,相继成立了农民协会。

李成虎领导的衙前农民协会取得反封建斗争的节节胜利,地主官绅视衙前农民运动为心腹之患,呈请省吏要求以兵力解散农会。12月下半月,接连数日,大批军警到衙前镇压,搜去农会的宣言、章程及会员名册等文件,封闭农协委员的住宅,强行解散农民协会。不久,李成虎被捕。1922年1月24日,在狱中被凌虐致死,终年六十八岁。

李成虎牺牲后,当地农民为纪念这位为农民利益而英勇牺牲的烈士,把他家宅旁的一座桥改名为"成虎桥",桥头竖起石牌坊,称为"成虎坊";在凤凰山上李成虎墓前镌刻一副挽联:

中国革命史上的农民这位要推头一个;

四山乱葬堆里的坟墓此处更无第二支。

杭州“八·一四”空战

唐中和

“八·一三”淞沪战争爆发，日军海陆空大规模进犯。浙江境内我空军各个基地即进入紧急备战。8月13日下午，我空军第四大队大队长高志航率领全大队共四个中队由南昌飞到杭州笕桥机场待命，这是当时我空中作战部队配备力量最强的一个大队，所率战斗机是清一色的美制“霍克”，双翼，每机配备武器有大“考尔脱”两挺，可携带二百五十磅炸弹两枚，航行一百七十英里。同时集中笕桥机场的，还有第九大队独立第三十二中队(作者当时是该队飞行员)。共有作战飞机六十三架。日本侵略者为破坏中国空军军官学校训练基地——杭州笕桥机场，和阻扰我军由沪杭线增援上海的抗战部队，派其空军王牌木更津航空队侵袭杭州。8月14日，杭州阴雨，能见度为五百米，一般情况下，这种天气飞机是不起飞的，但第九大队却于上午8时飞赴曹娥机场。下午1时30分曹娥对空监视哨打来电话说，发现敌人双发动机轰炸机九架，经曹娥上空向杭州飞来。高志航当即抽点了大队中九个人，并宣布命令：“背上保险伞，立即跟我出发，我首先起飞，你们一个接着一个起飞，在空中不要失

去联系，抓住敌机，立即攻击，最好从后上方进击。大家必须抱着有我无敌，视死如归的决心。”九个人各自奔赴自己的座机，逐架起飞，出没云层，搜索敌机。一会儿，有两架日寇轰炸机从云层中窜出，在机场上空作东西飞行，投下两枚炸弹。停在铁路专线上的两节汽油车被炸起火。敌机投弹后，立即钻入云层，不久即听到云层中机枪声咯咯不绝。瞬时，一架敌机被我机击中，变成一团大火，向半山坠落；接着在机场东端上空，又有一架敌机被击落，在蚕桑学校上空一架敌机又被击落，飞行员跳伞被俘，其他敌机仓皇逃窜，我机无一损伤。当大队长高志航返航降落到停机坪时，地面上所有飞行员拥上去热烈欢呼，情景动人。“八·一四”笕桥空战，我机以三比〇大获全胜，创造了辉煌的战绩，打破了日本空军无敌的狂言，鼓舞了我军士气。空军总部当时曾把这一天定为中国空军节。

美军指挥机迫降天目山区

林　泽

1942年4月18日，美国空军第一次轰炸东京。那天晚上，有一架美国飞机因为油罄，机中人员跳伞降落在临安县青云桥附近，摸黑占据田间一个土堆，持枪自卫。翌日天明以后，有些农民想接近土堆,都被飞行员挥手阻止。临安县青云区区长李关安得悉此事,经过侦察,知道是美国飞行员,乃用国旗做先导,徒手向美国飞行员走去,用手势比比划划说明情况,把这五个美国人引出,送上西天目山浙西行署,始知这是一架指挥机,美国空军少将杜立特就在其中。当时他降低军阶,自称中校,以后才实说的,其余四人则是驾驶员、领航员、修械员和无线电通讯员。据说那夜晚有十来架美机朝浙江沿海地带飞来,皆因找不到机场目标而汽油用光,纷纷迫降在淳安、江山、宁海、三门各县,大都获救。

浙西行署主任贺扬灵对盟国飞行人员降落,十分惊喜,即命秘书赵福基当翻译,腾出潘庄房屋作宾馆,安置他们住宿,并举行宴会、娱乐晚会和欢迎大会。欢迎大会假朱陀岭浙西联训班的大礼堂举行,贺自己主持,特请满头白发的昭明馆馆长张天方用法语讲话,因张曾留学法国,杜立特亦懂法语。晚会由民族剧团演出话剧《雷雨》,博得远方来客的欢心。笔者听过杜立特的演说,大意是为了轰炸东京,给日本以最大威胁,一新全世界的视听,美国集中飞行员,准备了几个月,讨论各种设想,拟订作战方案,决定用航空母舰输送,从北太平洋水道偷偷靠近东京时起飞,不料在离东京还远的洋面上,已被日本侦察机发觉,只得一面报告本国,一面提早起飞,改变计划,先飞北海道,由北而南,穿过东京投弹。当飞越东京时,日本飞机很快腾空迎击，于是美机升高，日机在下，紧紧相随，没有开火，很久才得以摆脱。那是第一次轰炸，投下宣传品多，炸弹不多，威胁性强于破坏性，目的在于显示美国的优势，摇撼日本本土的人心。

后来查明杜立特等跳伞后，飞机仍向西前进，坠落在于潜、昌化交界的山谷里，当即由赵福基陪同美国飞行员前往探看，取回一些有用的仪器、记录和衣物，然后再把飞机残骸拆下，运交衢州机场。杜立特在西天目山作客一星期左右，消息已遍传国内外，美国军事当局还给杜立特发来慰问电。后仍由赵福基一路送往衢县，由重庆派飞机接走。1943年至1944年，杜立特出任欧洲同盟军艾森豪威尔将军麾下的航空队司令，对打败德国希特勒建有殊勋，晋升上将。此时贺扬灵和他尚有书信往还。抗战结束，赵福基也得到杜立特的照应，去美国公费留学。

浙江日寇投降记

蒋增福 稿　洪昌文 整理

1945年8月15日，日本帝国主义正式宣布无条件投降。国民政府决定将全国划分为十五个受降区，接受日军投降。第六受降区以第三战区司令长官顾祝同主持，浙江受降地点指定在富阳县城北八公里，紧靠杭富公路的宋殿村。第三战区派副司令长官韩德勤为前进指挥所主任，先期率部进驻富阳宋殿村，主持受降事宜。9月6日受降仪式正式在宋殿村举行，受降会场设在宋作梅家门前的空地上，临时搭起一个受降台，台的上空悬着中、美、英、法、苏等盟国的国旗，日本国旗则像举哀似的半降着。公路旁每百步有一名中国武装士兵站岗放哨。这一天，周围村庄的群众扶老携幼、兴高采烈地到这里来观看这一盛典。

这天上午，韩德勤率中国受降代表先到会场，围坐在受降台中间的一张桌子周围，会场的气氛庄严肃穆。十一时许，杭州方向开来三辆小汽车，后面跟着几辆日本军用大卡车，车上是武装日军。小汽车驶至距受降台约二百米处，我方岗哨立即命令停车。车上下来的是日军驻杭州最高指挥官、第一三三师团长舒地嘉，他低着头下车，脸色呆板冷漠，另外还有几个日军头目。后面卡车上的日军也相继下车，架好了枪，列队向后转，迅速至指定地点就地坐下。我军队立即上前缴了枪。日军头目由我方人员带到受降台前远处待命。

受降仪式开始时，日军头目被引至受降台前，他们先是立正，然后脱帽向中国的受降代表一鞠躬，中国代表指示他们站在指定的位置上。按照程序，先由日军一三三师团参谋长今井呈上日军分布图、官兵名册和武器清册，然后由舒地嘉代表日本军方在投降书上签字。签字后，把投降书放在一只木盘里，双手捧着木盘，恭恭敬敬地上前呈送给中国的受降代表韩德勤将军。在这个激动人心的时刻，方圆几十里赶来的农民，看到这个情景，脸上都挂满了胜利的泪花。参加受降仪式的还有国民政府第三战区司令长官部副参谋长兼前进指挥所参谋长张世熙及国民党浙江党部主任委员罗霞天等人。当天下午，第三战区前进指挥所就开始向杭州推进。

从此以后，富阳人民就把宋殿村改称为受降村。

国民党浙江末代省主席石觉

刘麟书

1949年5月3日，我人民解放军解放了杭州。当时的浙江省主席周岩，于4月28日就溜走了。他先遁宁波，再逃舟山，企图踞海洋天险，作垂死挣扎。当年8至10月间，人民解放军渡海作战，陆续攻克宁波、镇海外面的桃花、六横、虾峙、金塘诸岛屿，使舟山、定海的大门洞开。逃亡台湾的蒋氏父子惊惶不安，急飞定海召开会议，迫令周岩辞职，改组省政府，以石觉为浙江省主席。石觉是广西人，当时任舟山群岛防卫司令。12月，周岩在岱山卸任，那时，岱山叫滃州县，是周岩逃到舟山后，把定海北部的岱山、衢山、长涂各岛划出自成一县而命名的。所以石觉的省府辖区，只有定海、滃州两县，并仅见于当时定海的报纸。至于石觉的省政府的规模，更是小得可怜，原来的建制民、财、建、教、社会、田粮、卫生各厅处的组织，都告解体，只设置秘书、政务、经济、军事四个处，以随同逃亡的陈保泰、谈益民、李守廉等为委员兼处长。至1950年5月，我人民解放军以无比威力进逼舟山，定海守敌全部撤离下海，逃往台湾。定海、岱山相继解放，石觉这个末代省主席仅苟延了五个月。

太平县选举国会议员奇闻

张任天

辛亥革命后，我国曾采用议会制，选举国会议员由两院(众议院与参议院)复选。当时中央无户籍清册可查，就采用自下而上造报的办法。首先由各县的城乡选举工作人员造送选民册，由县汇送省，省汇齐并作统计表后呈送中央。然后，中央根据各省呈报的选民数分配各省的议员名额，省再按各县报送的选民数在全省各县中所占的百分比，分配给各县的初选当选人名额。这个初选当选人是按众议员名额的五十倍，省议员名额的二十倍分配的。这样，选民愈多，产生的议员就愈多。

在太平县(今浙江温岭县),有人提议:由办理选举工作的人员回去把自己的宗谱翻开照抄。这样一来,那些死去了的人,统统同活人一样参加选举。结果,太平县的选民之多在全国各县中屈指第一。众议院议员初选当选人为一百九十四名,占台州六县当选人的一半,占浙江第二复选区(当时浙江省划宁波、绍兴、台州三个旧府为第二复选区)的四分之一,占浙江全省的八分之一。其议员数竟和云、贵两省议员之和相等,造成空前绝后的优势。真是滑天下之大稽,千古奇闻。

“包头道台”

周采泉

“包头道台”董姓,忘其名,慈溪巨家子,鄞县杨坊婿也。坊,字憩棠,为我国早期之英商买办,在太平天国时,帮助清廷采购军火,获利无算。其女遣嫁时妆奁之盛,无殊公主下嫁。董某忽发官瘾,想捐一道班,而苦乏现金,商诸其妻,出一“包头”,兑换关银,以作捐纳。清季公开鬻官卖爵,一般捐官,可自监生捐至道衔(四品衔)。候补道仅是一个虚衔,大约须一万两银子。有了这个虚衔可以顶戴荣身,跻身上流社会,和当地长官平起平坐。当时富商大贾也乐于捐输，博此虚衔。像大商人虞洽卿，亦曾捐过道衔，捞到不少政治资本。如果“候补”要想获得实职，只要加倍捐纳还是有希望的。如果指望能早日莅任，只要再花几笔“花样”、“仅先”(这是指官中新名词)银子，十九就可领到官凭。董某大约花了二三万两银子，居然简放台湾某道，即可走马上任矣。道台上任前例须向上级请训。及召见，董某踌躇不安，上官问话，只是唯唯，不知所云。寻思见大人总得有所提问，嗫嚅久之，才鼓足勇气曰：“请问大人贵姓?”上司即端茶送客，谓其引荐者曰：“此田舍郎安足以临民?”未到任即被撤职。人以其捐资出于夫人之“包头”，故称之为“包头道”。此亦《官场现形记》中人物也。

卢永祥测字

汪振国

予卜居杭州吴山之麓。解放初，山上之药王庙(今先贤堂)有个测字摊，主人金华人叶志清，秀才出身，谈吐颇不俗，曾与我谈过当年浙江督军卢永祥一次测字的情况：

“一天上午，有个人身穿长袍，头戴礼帽，站在庙门中，一脚在门外，一脚在门内，听我解字。少顷，顾客渐少，要我为其测个字。我请其随意

报一个字,他就报个'门'字。问其要询何事,他说:'近来做一笔生意,请占盈亏。'我对这位客官审视了一番,说:'你现在有疑难不决之事,可能是生意做得太大,一时难以脱手。'说着就请客官面向门外,我乘此写了几句话,折好,交给他,并且说:'暂时勿付酬金,纸上写的几句话,回家再拆看,如果先看了就不灵。看后如认为解得对路,再付酬金;如不对路,明天可以叫人来掀掉我的测字摊。'当时,我写了两句杜诗:'江流石不转,遗恨失吞吴。'并附上几句解语,说他身倚门框,欲进不进,欲退不退,处境是进退两难;急流勇退,后起有望。第二天,就派副官送来五十元大洋作酬金, 这是我摆测字摊以来所得酬金最多的一次, 一般顾客测个字最多只付五角钱。此人就是浙江督军卢永祥。当时卢永祥正在与江苏督军齐燮元打仗, 卢战不利, 败报频传,进退两难,故被我一语道破。随之卢即撤兵下野去日本,后回国,又为段祺瑞委为东南宣抚使,均如我所言。"

予问叶志清:"你如何知道测字者就是卢永祥?"他说:"卢是一省督军,照相馆多挂有他的放大照片,故知之。"

绍兴横街几改路名

何信恩

1941年4月17日，绍兴城沦于敌。当地名绅王子余(周恩来的姑父)为防敌伪的拉拢，举家避居乡下，日敌在绍兴城内到处搜寻不到王子余，就拉出了曾接替王子余任绍兴县商会理事长的冯虚舟，充任了汪伪绍兴县县长。冯上台后，一班逐臭之徒为了拍冯的马屁，将冯虚舟当时居住的龙山横街，改称为“虚舟路”。改名的第二天清晨，发现有一诗贴于路口，诗云：“行过横街又府桥，轩亭碧血尚未消，如今命作虚舟路，此路原是死一条。”此诗不胫而走，传遍了半个绍兴。有人以横街轩亭口乃辛亥先烈秋瑾遇难之处，而秋烈士之死与冯虚舟之死不可混为一谈为由，将诗的末句改为“遗臭流芳共一条”。

抗战胜利后，当地人民为纪念坚持民族气节的王子余先生，特将他所住的火珠巷改为“子余路”，文革期间虽将此路改为“光明路”，但绍兴老百姓仍习惯称其为子余路，而虚舟路则早已不为人知了。

王梦的一场官梦

陆九畴

抗战初，原浙江省军管区国民军训处少将处长王梦，为黄埔一期生，也是蒋介石的嫡系门生。1939年春，王梦获知蒋介石将对人事有所调整，便想去逐鹿中将军长，特将处长职务暂交总务科科长王狮竞代理，自己乘小轿车由浙江金华出发，星夜兼程赶往重庆。由于星夜行车赶路，王梦由疲倦而进入梦乡，同时行车时未关好车门，以致几次颠波震动，车门自开，车行驶至湖南某地桥上，好睡的王梦竟掉到桥下的河里。当司机发觉赶快回车寻找主人，将他从桥下河里救起，王已不省人事，即就地送医院抢救。后来生命算抢救过来了，但双眼神经受重伤，致成斗鸡眼，面容破相，住院达半年之久。这时重庆人事调整已告结束，王梦回到金华不久，处长之任亦为浙江省主席黄绍竑之连襟谭计全所替代。时我在国民军训处学生军训科任职。有人说：王梦做了一场官梦。

于右任书立轴分送“国大代表”

韩祖德

1947年，于右任应蒋介石的邀请参加副总统的竞选。时逐鹿副总统宝座者，尚有李宗仁、孙科、程潜、莫德惠及徐傅霖等人，其中以李宗仁与孙科的竞争最为激烈。于右任既参与竞选，自然也少不了要为竞选做一些活动。时于任监察院院长，无钱可充竞选的资本，为了得到“国大代表”的选票，他就别出心裁，先期书写了一大批条幅，上书：“为万世开太平”六个字，历时数月，裱制成立轴，分别致送各地“国大代表”。我妻李家应时为浙江省的“国大代表”，故亦有幸获得一轴。一幅立轴，当然得不到多少选票，他老人家的副总统候选人不久就被淘汰了。

农妇骂瓜

叶一苇

1943年间，武义县城被日寇占领，我避居于南乡管宅山区。此间农民全赖种毛竹为生，县城沦陷后,售竹无出路。山间耕地甚少,除少量水田外,仅能在山坡上种植玉蜀黍,产量不多,恒以苦叶菜拌糠为饼度日。夏季,于屋前屋后隙地种植南瓜,以充粮食。但时有发生南瓜被偷摘情事。农妇每发现南瓜被偷,辄在地头咒骂,始骂瓜之冥顽不灵,不恤主人之苦,任人偷摘;继诉自己之苦,舍不得早摘,竟落入狠心者之手;复咒偷者食瓜必烂肚肠,骂到祖宗十八代,声泪俱下。一骂则一个小时,每遭如此。 据说,偷者系同村人,亦饥饿难忍,才贪利偷瓜。 当被骂时,彼亦听见,只得置若罔闻。此事亦从一个侧面反映了当时山区农民生活之窘迫。

林启太守办学

刘操南

林启，字迪臣，福建侯官人。任杭州太守四年零二月。于光绪二十三年丁酉(1897)农历正月创办求是中西书院，四月二十日正式开学。求是中西书院为今浙江大学前身，较今北京大学前身之京师大学堂创办早一年。同年，林启办蚕学馆。蚕学馆为今浙江丝绸工学院前身。光绪二十五年己亥(1899)，又办养正书塾，即今杭州高级中学前身。三校为浙江省开创省立大学、职业学校和普通中学的先河，启迪新知，开发民智，培养出大批优秀人才。人民应该纪念他。

中日甲午一役，清政府丧权辱国。爱国之士，怵目惊心。感到要储国力，雪国耻，奋发图强，非变法不可。光绪二十三年，浙江巡抚廖寿丰有鉴于斯，向清政府奏请设求是中西书院，就蒲场巷普济寺改建黉舍。杭州府知府林启总其事，陆懋勋任监院，定学额为三十名。光绪二十七年改称为浙江省求是大学堂。陆懋勋入京，劳乃宣接任，定学额为一百名。光绪二十八年改称浙江大学堂。光绪二十九年改称浙江高等学堂。斯时，祝文白、陈布雷、蒋絅裳、沈西戾等入学，攻读国文、经史、数学、舆地诸科。

祝文白教授为余业师。在浙江大学讲学时，称颂林太守的爱国精神。慈禧太后移海军款造颐和园，时林启为御史，上折奏谏，触怒太后，贬为衢州知府，旋移杭州知府，筹建三校，嘉惠后学。高风亮节，堪为后学楷模。

钱玄同在湖州中学

蒋琦亚

钱玄同(1887—1939)，原名夏，字中季，后改名玄同，号疑古，自称“疑古玄同”。湖州人。是我国著名的文字学家。1906年留学日本，1910年5月，钱玄同先生从日本早稻田大学学成归国，不久，去海宁中学任教，后转任嘉兴府中学堂国文教员。宣统三年(1911)九月,钱玄同从嘉兴到湖州府中学堂任代理国文教员，茅盾当时在该校学习。据茅盾回忆：

> 后来，我们学堂来一位代国文课的姓钱的教师，年龄和代英文课的钱老师不相上下,我们以为他俩是校长钱(念劬)老先生的儿子。后来知道,代国文课的教师单名一个夏,是老先生的弟弟。代英文课的,名稻孙,是钱老先生的儿子。钱夏先生是最可敬的,在教学中抱着"扫除虏秽,再造山河"的宗旨,他很重选文的思想性。他讲了史可法的《答清摄政王书》、《太平天国檄文》、黄遵宪的《台湾行》、梁启超的《横渡太平洋长歌》。那时我们都觉得很新鲜……

钱玄同先生在湖州府中学堂任国文教员，时间虽不到半年，但他高尚的师德和严谨的教风却深印在学生心中,受到学生的崇敬。同时，他对湖州中学很关心，他在逝世前曾对他的儿子钱三强说:将来你在适当的时候,要去湖州中学看看,关心一下学校的发展。钱三强遵父训曾于1978年5月到湖州中学参观。

萧山处士蔡逸哉

蒋杏沾

蔡逸哉(1874—?)字轶才,号藏古蕉尾琴居主人,萧山人,历史演义家蔡东藩之侄。人品清正,艺文修养极高,诗书画印俱全,且精医道。

1935年至1936年,我从先生学习诗文字画,时先生虽臻花甲之年,然精神健朗,日为临浦街坊及四乡病患者施诊。先生医德高超,如遇经济有困难者,免收诊金。重病或行动不便者,则上门施诊。有位病人为表示感激,特制赠“玉壶卖春”匾额一块,悬于先生居所大门上方。仁心仁术,深得病家爱戴。

先生所作书画,苍劲古朴,造诣极高。风格近萧山“三任”,而笔力韵味过之,慕名求索者颇不乏人。乡俗,求屏条者,往往要“四喜”屏,以取四时逢喜之义。所谓“四喜”者,即书法要分别写正、草、隶、篆四种字体;画要分山水、人物、花鸟、走兽(或鱼虫)四种画。如此高的要求,一般书法不精、画路不宽之书画家,无以应付。而先生则应付裕如,且作品均为自己立稿,从不抄袭,实属难得。识者咸以获先生之墨宝为幸,有的甚至收藏先生处方手迹。

抗日军兴,先生已年老体弱,子孙星散,在

战乱中贫病交迫,默然而逝。

胡适和林埙白话文言之争

王超六

林埙,字公铎,浙江瑞安人。“五四”前后,与胡适同任北大教授。胡适与陈独秀、罗家伦等站在一边,提倡白话,主张文学革命。林埙则与黄侃、刘师培、辜鸿铭等站在一边,反对白话,主张保存国故,双方争论非常激烈。林埙以胡适是安徽人,做桐城派的文章做人家不过,乃提倡白话;做古诗也做人家不过,乃提倡白话诗;与他人比美比不过,乃与他人比丑。胡适说:“公铎天分很高,但不用功,整天吃酒。章太炎、黄侃,天分高,能用功。”在胡适的眼中,林埙的论点是站不住的。在新思潮的洪流下,林埙被辞退了,他大写抗议文章刊在《世界日报》,有“遗我一矢”之句,意思是保留我对你进攻的武器。又有诗刊在报纸上,有“我头无笠况乘车,君毂丹朱赫有余”之句,出自《古诗源》“君乘车,我戴笠,他日相逢与君揖”的意思。周作人在《知堂回想录》中谈到林公铎的态度也是很直率,有点近乎不客气。

林埙离开北大后,郁郁寡欢,终日持杯酒,与人谈,亦持杯不释。诗云子曰,不绝于口。引经

据典，博闻强记。林语堂主办的《论语》以古香古色收录他的文章。

时隔二十多年，1942年间，胡适的学生胡不归(也是安徽人)，与林埙的学生薛凝嵩(也是瑞安人)，各捧其师，扬长护短，在《东南日报》上打了一场笔墨官司，笔战锐利，显露锋芒。这是胡适与林埙之争的余波，也是白话与文言之争的余波。薛文浑厚典雅；胡文反映了时代气息，流畅通达。后经报刊编者宣告笔战休止而中止。

郁达夫在之江大学

胡才甫

我和达夫在之江大学同事时间虽然不长，但他的形象却深深地印入我的脑海。事隔五十年，还能记得一些，追溯前尘，略谈一二。

大约是1934年，他受到政治压迫，迁居杭州。他自己说是避难来的。那时候他住在蒲场巷(后称大学路)。他的乡友胡继瑗当时担任之江大学经济系主任，就介绍他到之大国文系任教。

他开的课是文学概论，学生选修这门课的很多，教室都容纳不下。选修的不仅是慕名，更重要的是被他的爱国主义思想所吸引。他讲课时广征博引，滔滔不绝。有时还用英语讲述，也常常吸烟。课余常写几首旧体诗给同事欣赏。

他有些不修边幅，经常穿一件长衫，看上去是褪了色的旧衣。喜欢喝酒，来校时总是醉色向人的。曾多次回到富阳背条大鲥鱼来，邀同事们到他寓所喝酒尝鲜。酒酣之后，高谈世务，慷慨激昂，有时声泪俱下，诚有心人也。

他杭寓客堂里挂着一幅立轴，是柳亚子题赠的诗。诗曰："妇人醇酒近如何？十载狂名换苎萝！最是惊心文字狱，留传一醉已无多。"（"留传"二字记忆不清，可能有误）苎萝指其夫人王映霞，有时伉俪相偕来校，山上教师眷属相呼："看美人去"。

马一浮讲学浙大

刘操南

马一浮先生学贯中西，精深博大。抗战军兴，时竺可桢长浙大，崇其德业，三晋谒之（其事详见于《竺可桢日记》中）。马老感焉。浙大西迁，马诣江西泰和讲学。其学出入二氏，返之六经。首论治国学先须辨明四点。"一、此学不是零碎的知识"，"应知道本一贯"；"二、此学不是陈旧呆板的事物"，"应知可以妙用无方"；"三、此学不是勉强安排出来的道理"，"应知法象本然"；"四、此学不是凭藉外缘的产物"，"应知人人性德具足"。次述横渠四句教言，"为天地立心，为

生民立命,为往圣继绝学,为万世开太平”。他说“国学者六艺之学也”,“六艺该摄一切学术”,“统诸子”、“统四部”,而实“统摄于一心”也。“六艺者,即诗、书、礼、乐、易、春秋”;“此是孔子之教,吾国二千余年来普遍承认。一切学术之原,皆出于此”,“广大精微,无所不备”。讲学内容辑为一集,题曰:《泰和会语》。后张晓峰去台湾,办台湾文化大学,亦以此四句教弟子。

浙大再迁广西宜山,马老复设讲座,校长师生多往就教焉。讲义石印,题曰:《宜山会语》。开讲首述“颜子所好何学论”,继“论六艺该摄一切学术”,“西来学术亦统于六艺”。以为“自然科学可统于易,社会科学可统于春秋。因易明天道,凡研究自然界一切现象者皆属之。春秋明人事,凡研究人类社会一切组织形态者皆属之”。其说较前北大陈汉章教授之说为圆通,而溯其源则梅文鼎已启其端矣。时同事中如钱琢如教授等不以为然,并援事驳之。校长任其论争,各抒所见,谓理愈辩而愈明也。

马老诣遵义,旋诣四川乐山,承办复性书院。揭示革命与复性两义,相辅相成。大意为:汤武革命,顺乎天而应乎人,此一义也。然昌言革命,日久弊生,当以克己复礼纠之。学问之道,无他;求其放心而已矣,此又一义也。今日之事,首务克己,即复性也;否则将何以拔本塞源乎?

张元济捐祖宅助学

洪昌文

张元济先生一贯关心海盐家乡的教育事业。海盐县立中学因校舍在抗日战争期间被毁，无法复校，1946年学校便派人赴沪与张元济先生磋商租借其祖宅。先生欣然同意将坐落于海盐城内虎尾浜南岸的祖遗住宅三进三十六间房屋及六亩半宅基地全部借予中学使用。自1946年8月起，学校每月只象征性地给租费白米一石。以后，元济先生征得族人的同意，于1952年春，将房屋并余地无偿地捐赠给海盐中学。今天的海盐中学，就是在这基础上逐渐扩建起来的。

粟裕在平阳讲课

钱式纯

1937年冬，闽浙边区抗日游击总队于平阳山门开办抗日救亡干部学校，校长为何畏。当时招生广告刊登于温州报上，四面八方闻风响应奔集来此的爱国青年约有二三百人。1938年1月,学校开学上课,抗日游击总队司令员粟裕任教"部队政治工作"及"游击战术"两课。他自编讲义,每日上午8至10时讲课,一讲两个小时,讲得十分动听。一次上游击战术课,曾以跳蚤叮人为喻说:"阵地战部队转动不灵活,游击战好像跳蚤叮人,它在你心窝叮一口,一跳跳到你屁股上咬满嘴,叫人意想不到,捉拿不得。"学员们听得哄堂大笑。

粟司令员当教师,和学生们的关系似胶漆相投,水乳交融。他有空常在操场上和我们学生游玩闲谈,大家见他来,一拥而上,拿出随带的簿册,请他签名留念,他总是满面笑容地替每人签写"粟裕"两字,名下注明签名时日。

郑振铎抄传《录鬼簿》

周采泉

《录鬼簿》二卷,元钟嗣成所撰,元代戏曲家小传及著作之专录也。某年,郑振铎与赵万里去浙东访书,于鄞城孙氏小蜗庐得见所藏明天一阁抄本有批校之《录鬼簿》,视通行本为详赡,例如王实甫小传即通行本所未有。两人讶为秘笈,因向孙氏借阅,由师朱竹垞、故智两人夤夜分抄,翌日抄毕即以归还藏主。郑振铎治俗文学,得此更视为帐中秘。此为杨文献语余，所说应不妄。1960年中华书局三色套印本《天一阁蓝格写本正续录鬼簿》，即郑所抄之祖本也。

孙氏小蜗庐，在宁波天封塔前，主人孙祥熊为一儒生，毕生不事生产，藏书虽不多，率皆善本。书室明净无片尘，孙翁日拥书城，足不出户，真能善享人间清福矣。

浙江省图书馆缘起

汤彦森

辛亥革命以后，浙江省成立了省教育会。这是一个受政府领导的群众团体。该会久思创立一所省立图书馆，但苦于资金匮乏。1915年春的一天，杭州吉祥巷三十号汤寿潜宅邸，突然来了一位省中国银行的要员，欲见汤寿潜。因汤本人在临浦养病，便由其子汤吉人和汤惠人接见。当时该人出示北京中国银行二十万银元的汇款单一纸，嘱去省行办理取款手续。当问及此款的来源时，该员声称系北京中国银行奉袁大总统之令而行，是奖励汤寿潜兴建沪杭铁路时，抵制英人借款，自力更生，劳苦功高。汤吉人兄弟听说是袁世凯所赠款，两人不约而同地表示拒绝。此时，汤寿潜的女婿马一浮即请汤氏兄弟进内室商量。马表示此款不能拒收，因袁世凯正在筹备

称帝，为了收买人心，对公开与他针锋相对的汤寿潜赠以巨款，用以说明他的宏量，如骤然拒绝，恐生祸端。汤氏兄弟仍坚持不收，说如果收了，有何面目向老父交代。马一浮点明此款并非袁世凯个人所有，纯系人民的钱财，为何不能取之于民而用之于民呢？经马指点，汤氏兄弟似有所悟。当问及何用时，马即提出省教育会欲建图书馆一事。后去临浦向汤寿潜禀报，经其同意，才将该款全部捐赠给省教育会，以供筹建省立图书馆之用。

从厦大学潮到创办大夏大学

林　泽

闽南华侨巨子陈嘉庚先生，热心教育事业，在家乡同安县集美村创办由幼儿园至小学、中学、师范一系列学校。1921年，他再创办厦门大学，设文、理、商、教育各科，并在上海寰球中国学生会招生，因是引得两湖、皖、赣、江、浙各省许多学生投考，纷赴闽省求学。厦大初亦设在集美，一年后，厦门南普陀新校舍落成，遂迁至厦门。校舍石砌，筑有群贤、囊萤、映雪诸楼，气宇非凡。校长林文庆、教务长刘树杞皆系博士，教师大都是美国留学生。学生所用课本，除语文外，几乎都为英文本，从国外书店购来，连中国地理历史也用英文写的。教师直接用英语讲课，煞像一所外国学校，这在当时算是最时髦的。

1924年春，学校在聘期未满的情况下辞退了欧元怀(教育科主任、福建人)、王毓祥(商科主任，湖南人)和傅式说(注册课主任，浙江人)三位教授。他们甚得学生爱戴，因而群起要求挽留，校当局执意不允，并从生活上逼迫学生，停电、停水、停止伙食，激起众怒，逐步演成学潮。电灯不亮，学生们用蜡烛，水管关闭，学生就挑水吃，乃至联络厨工自烧饭。此时学校限令学生复课，否则提前放暑假，同时邀来防守海岸的军队进校，在四周安营扎寨，持枪巡逻，这就更激起学生的愤慨。这场学潮，受广东国共第一次合作的影响，一变为反对资本主义教育方式的风潮，愈演愈烈。最后有数百名学生和十几位教授被迫于1924年6月1日离校，被用小船自南普陀海滩岸边送到停泊于鼓浪屿江面的英国太古公司轮船甲板上。船票都是学校当局预先买好的。

学生与教授们当夜在甲板上开会讨论，分析情况，万分激动，一致决定仿照复旦与震旦的先例，在上海自办大学，敦请欧、王、傅三位教授负责，把“厦大”二字颠倒过来，取名“大夏”(即大中国Great China之意)。每个同学自家中汇二百元到上海，作为筹备经费，将来在应缴学杂费中扣还。抵沪以后，经过奔走，得到马君武、王伯群诸位知名人士的支持援助，于是年9月，在上海小沙渡路、胶州路宣告成立大夏大学。这是读书运动、众志成城的结果。如此筚路蓝缕，开办数年，终于在北伐革命胜利之后，在上海梵皇渡自建校舍，矞皇清丽，宽广新颖，成为上海当时一所有名望的大学。

昙花一现的浙江商学社

韩祖德

20世纪30年代，我与杭州中国银行副经理寿毅成博士创办了一个职业性学术团体——浙江商学社，邀请当时社会名流数十人参加。凡出资二百元者为永久会员，一百元者为赞助会员。商学社跟杭州青年会是一个模式，只是无宗教色彩，其宗旨是给商界青年提供娱乐场所和进修机会。

我们盘进已歇业的大陆西餐社的房子作为会所。社内有阅报室，备有各种报刊；有娱乐室，备有乒乓桌两张，平时供练习球艺之用。为了照顾青年人学京戏，成立了一个票房，请了京剧教师。我们还利用原大陆西餐社的餐厅及桌凳，开办了一个经济食堂，由颇有名气的郭七斤之子承办。又在杭州市商会内开办了一所商业夜校，由商学社理事朱惠清兼任校长。还办了一份《浙江商报》。那是从邱不易手里接过来的。我是该报的发行人，由《东南日报》编辑许廑父任主笔。

1936年,寿博士由杭州去上海工作,我更觉得势单力薄,力不胜任。其实,原来推选出来的理事都是勉强应允的,不怎么卖力。原先筹集的二万余元都垫支在报馆的账上了,资金短缺,社里的日常开支都成了问题。这时候正巧又要募集经费了。募集经费,谈何容易。凡此种种,使我真不想再干下去了。我就与徐行恭、黄筱彤等理事说明我的苦衷,恳请他们让我辞去总干事的职务,专任会计;报馆则由许廑父独力支撑。

不久,“七七”事变发生,我们又忙于迁地避难,浙江商学社也就无疾而终了。

金华一度成为抗战文化中心

孙　毅

“七七”卢沟桥抗战爆发,尤其“八·一三”上海抗战开始以后,以国共第二次合作为中心内容的抗日民族统一战线逐渐形成,“有钱出钱,有力出力”的全民动员,使抗战到底的呼声响遍全国。上海的进步剧作家与演员纷纷组织抗日救亡演剧队,奔赴内地。进步的文化人,以胡愈之、邵荃麟、傅彬然等为首,纷纷向浙东转移,一时间,浙东金华集中了大批著名的作家、漫画家、记者、编辑、社会科学家,成为抗战文化的一个中心。

当时的金华，出版了好几个坚持抗战、坚持进步、坚持团结的刊物，如由沈兹九和林秋若、秦秋谷主编的《浙江妇女》，由严北溟主编的《浙江潮》，由俞乃大主编的通俗画报《老百姓》和由我主编的《新青年》(半月刊)。张乐平、徐甫堡、野夫等一批进步漫画家、木刻家也在金华展出作品。省战时教育文化事业委员会领导的中心剧团，也在浙东、浙南、浙西各地巡回演出以抗战救亡为题材的活报剧和短剧，对动员广大群众起来抗日救亡与鼓励抗日军队的士气，起了一定的作用。

可是，好景不长，以顾祝同为司令长官的第三战区，以宣铁吾为保安司令的浙江保安司令部与浙江三青团支团部等一批反共顽固派，在蒋介石“攘外必先安内”的反共政策驱使下，形成一股反共媚日的逆流，总是在找机会抑制抗战文化运动。先是，1940年成立浙江省图书杂志出版委员会，加强图书杂志的登记、管理工作，严格报刊原稿送审制度。不久，又查封金华的生活书店，勒令《浙江妇女》杂志停刊；随着浙江政工队的撤销与整顿，停发中心剧团的经费，迫使该团解散。并扬言将通缉一批著名的进步作家和文化人，因而胡愈之、宋云彬、傅彬然等人，不得不相继离开金华，陆续到达广西桂林。盛极一时的抗战文化中心金华，便迅速冷落了。

郑剑西操琴轶事

王超六

郑剑西，名闳达，瑞安城区人。好学深思，聪颖过人，才华横溢，被称为才子。琴棋书画，诗词歌赋，无不精通，以琴为最。他从小即爱好京胡，蜚声乡里。到北京后，以翰墨结缘，儒雅风流，往来于文坛梨园之间。观摩京剧，自嫌不足，得同乡前辈郭漱霞介绍，拜前清翰林出身的琴师圣手，驰誉南北的陈彦衡为师。在其指导下，从定弦下功夫，勤学苦练，手指重茧，甚至出血而不停息。定弦学定后，乃攻工谱，极为陈彦衡所器重。郑剑西著《二簧寻声谱》二集，学京剧者奉为津梁。

有一次,万人空巷争看梅郎(兰芳)的戏,刚巧私房琴师因故不能登台,乞助于陈彦衡。彦老毅然推荐郑剑西以自代。一场戏下来,郑剑西一鸣惊人,为梅兰芳所赏识。

抗战初期,名演员高百岁来温州演出。郑剑西被邀操琴。那时高百岁的唱腔与郑剑西的琴声,相得益彰,观众正陶醉琴音缭绕之际,突然,弦线断了一根,台上台下都为之骇然。而他不慌不忙,就只用剩下的一根弦继续拉下去,全场掌声雷动,叹为观止。

“爱己之钩”考

叶一苇

近代书画篆刻大家吴昌硕,于清光绪六年(1880)刻有“爱己之钩”一印。《淮南子》云:“不爱江汉之珠,而爱己之钩。”高诱注曰:“江汉虽有美珠,不为己有,故不爱;钩可以得鱼,故爱之。”我读吴昌硕印谱,反复不倦,窥得吴昌硕在三十七岁以前所作篆刻,有效浙、皖二派,步吴让之、徐三庚之作,痕迹尤显。但三十七岁以后,印风一转,追求千载以上之古朴,印艺大进。核1880年适吴昌硕三十七岁,由此得见,“爱己之钩”此印,乃为吴氏篆刻艺术思想转向之标志。过去学浙学皖,喻为“江汉之珠”,“不为己有”,“故不爱”;此时决心以“爱己之钩”去得篆刻之“鱼”,独开一派。以往学者研究吴昌硕篆刻及印学史者甚众,但未有注意及此,特笔之,以为后之学者备考。

次恺其人

王超六

丰子恺,以漫画名世,遐迩皆知,慕而摹之者甚多,有肖有不肖。1938年仲夏,丰子恺避难桂林,接到上海《文汇报》编者高灵来信说:“上海《申报》有署名‘次恺’者,投登画稿,题目为‘拜年与押岁’,字与画均酷肖先生,寓意亦相近。”并附去“次恺”画的剪报。

丰子恺见之深为诧异,十分赞赏。他捋须而笑曰:“吾初见此画,亦疑为自己所作,难得此君如此恪摹,复以歉怀署名‘次恺’,不知何许人也。他日有缘,当图一见。”但此后终未会晤。

“次恺”者,李毓镛也。李毓镛是浙江瑞安人,1935年瑞安初中毕业后,考入温州高中。此画当系高中毕业时作。

李毓镛出身于书香门第,岁首岁尾,拜年押岁,礼以为常。其父孟楚名翘,著有《楚辞方言考》,曾任中山大学教授。建国后,任浙江省文史研究馆馆员,曾对笔者言:毓镛之画,署名“次

恺"是不对的。丰子恺是我二舅父洪彦远(岷初)在杭州两级师范学堂之学生。那时,沈钧儒、鲁迅等均与其同事。在辈份上言,是犯上的。由于种种原因,毓镛虽聪颖未减,终未能发展其才智,坎坷见默,70年代卒于沪。

画家张书旂

洪 瑞

张书旂是我国驰名中外的杰出的花卉翎毛画家。1900年生于浙江浦江,1957年病逝于美国旧金山。我与张先生是乡亲,1947年张先生回国时,曾对我亲授画鸟之法,是我的第一位恩师。张先生的拳拳爱国之心,更使人敬仰不已。

1927年,安徽某县山洪暴发,哀鸿遍野,先生即在南京举办赈济义卖个人画展,将全部收入捐献给灾民。有一幅《哀鸿遍野》图,蔡元培先生看了后,随即在画上书题:"疮痍满目,何处无之,一经妙笔,耐人寻思。"同年,先生作《雄鹰》,挂在中国共产党在上海的中央机关里,画上题"千里江山一击中"。周恩来看到后称赞说:"这张画意义深重,气象万千,象征着中华民族一往无前的精神和我党事业鹏程万里,无限光明。"

1935年11月,正是日本军国主义全面侵略我国的前夕,张先生在南京举办了个人画展,并以极端悲愤的心情,用墨和泪作了《猫头鹰》和《白鹤》两帧画,揭示了日本军国主义者张牙舞爪企图亡我中华之野心,唤醒人民要提高警惕,保卫祖国,表达了整个中华民族奋起抗日的心情!当时南京有人感慨赋诗道:“不写春禽写辽鹤,泪珠和墨渍毫端。”这次画展,震动了全国画坛。在展期第一天的下午,日本领事须磨不仅买了四张画,并殷勤邀请张先生到他们的领事馆赴宴。先生当时想到日军侵占了我国东三省,并日益威胁着华北,义愤填膺,坚决拒绝宴请,表现出崇高的民族气节!

张先生的画艺不仅蜚声国内,而且远扬海外。1940年,富兰克林·罗斯福三次连选为美国总统。张先生为了加强全世界人民反法西斯的团结斗争和保卫世界和平、增进中美之间的友好联系,便构思作巨幅《百鸽图》,署名为“世界和平信使”,于1941年9月以艺术大师及亲善特使身份携画赴美,赠送罗氏,作为他三次连任总统的一份厚礼。罗斯福看了称道不已,将画悬在白宫。这是中国画首次进入白宫,弘扬了祖国传统文化。这幅画现仍挂在美国海德公园的罗氏纪念馆中。徐悲鸿赞誉:“张书旂画,应数为古今第一。”1947年书旂先生回国时曾说:“罗斯福总统当时看了这幅《百鸽图》十分高兴,奖我美金二万元,我已全部捐献给国家,以加强军力抵抗日本。”

书旂先生先后两次旅居美国,历时十七年

之久。在旅美期间,为宣扬祖国艺术,呕心沥血,不遗余力。他曾在华盛顿、纽约、旧金山等十多城市的美术馆或博物馆举行过巡回画展,并在哈佛大学、费城大学、斯坦福大学等十五、六所大学讲过学,当众挥毫,疾如风雨,美国人以为神乎其神,叹为观止。他为中国画进入西方世界开辟了一条大道。他还把卖画所得的钱一次又一次地捐献。如为救济中国贫苦学生筹款美金一万五千元;将在西特儿艺术博物馆画展所得之款救济了一百十二位失去了救济金的中国留学生,而张先生自己的生活却非常俭朴。张先生在美期间,有人曾劝他加入美籍,被他婉言谢绝。他说:"我是中国人,自有国籍,为什么要加入美籍。"古人说,"画如其人",观先生的人品画格,可以益信!

余任天的"四绝"

周采泉

余任天(1908—1984)字天庐,浙江诸暨人。自镌一印曰"农家子",正说明"澧泉无源,芝草无根",其自奋于寒门也。生前为中国美术家协会、书法家协会会员、西泠印社社员、浙江省文史研究馆馆员,以诗、书、画、印"四绝"驰誉于世。

他的画以山水为主,墨重而不滞,笔肆而不

流，乍看似漆黑一团，细玩之，层峦叠嶂，深沉苍厚，尺幅千里，韵味无穷。藏家陈器成阅之谓其酷似黄宾虹。吾以其语语任老，他说："我于黄宾老甚敬仰，亦尝过从请益，若说我画出于黄宾老，我余某岂是寄人篱下者？"其自负如此。书法喜作行草，有明贤风度，分行布局，尤具章法。治印曾以邓散木为师，尝在一印跋云："画家有泼墨惜墨，治印亦应泼朱惜朱。"此语未经人道。诗则直抒胸臆，不名一家，间有出韵或失粘，但不碍其为好诗，在以诗配画时更沆瀣。"四绝"而外，安贫乐道，不求闻达，殁后，刘海粟为撰《余任天留给我的印象》一文，盛称其风骨。

韩登安别传

周采泉

韩登安，以字行，浙江萧山人。父为名诸生，与王福厂(禔)为莫逆交。登安少即从王氏学刻印，尽得其传，及长曾供职铸印局。为人和易，而有节操，不阿谀以迎时。少时亦尝学绘事，与唐云为同学，唐云既以画名于时，韩摒弃绘事，专力治印。有得其早年所画"无量寿佛"者，认为颇得罗两峰(聘)家法，故其所刻边款之肖像亦极生动。登安尝向余商借《水经注》，问何以需此？曰：如能以《水经注》文字作边款，自高人一筹矣，其好学如此。尝纂《西泠印社志》，自刻自印以赠社友。社中维修、庶务，皆力任之。张鲁庵捐献西泠之文物，亦由其赴沪接收来，"文革"时还因此受累，实无妄之灾也。曾刻毛主席诗词印二十八方，每首一方。每方甲骨、钟鼎、籀、篆、正、行、北魏各体皆备，可为学印者范本。杭州柳浪闻莺公园内有记中日友谊之石碑，碑文"日中不再战"几个大字亦出其手，惜知情者甚少耳。

王福厂刻印绝技

周采泉

韩登安尝谓余言：福厂师早年受电击，颈椎受伤，不耐久坐，其治印则仰卧藤椅上，左手握石，右手奏刀，真绝技也。福厂名禔，为西泠印社创办人之一，《西泠印社志》有传，不赘。

汪庄主人有琴癖

丁卯

杭州西湖南屏山下，旧有汪庄，为民初湖上别墅中结构最新颖者。亭台楼阁，泉石池沼，布置精致，并特辟精室数楹，中藏古琴，其庄亦名“今蜷还琴楼”。

汪庄系上海汪裕泰茶号主人汪自新所营构。汪自新，号惕予，别号蜷翁，邃于琴学，能书。所藏名琴百张，锦囊炫眼。又取扬州僧寺古木造琴(寺盖唐武后所创)，自出心裁，有梅花、凤头等格式。所藏唐琴有龟纹断者，其色黄黑相间如龟板，其纹有形无迹。琴背题款甚多，若“流水潺潺”四字隶书，旁小字为“唐开元五年益州宣化道人为遐叔先生制”。又如宋琴流水断纹如浪痕，琴上字刻“熙宁元年八月天台刘志方监制”，蜷翁自题有“梓桐古木，合器通灵，发音清邈，寄静宜情”。又有宋文与可藏琴，篆书刻“香林八节”。汪有琴谱墨拓挂满斋壁，而名其室曰：“琴巢”。又取松烟造墨，皆遵琴形。夫人赵素芳女士，亦知琴，尤擅胡笳秋鸿之操。

民国十八年(1929)举办西湖博览会时，汪氏被聘为评议部委员。当时艺术馆工艺组所展出之唐霄文所制天籁琴、元朱致远所制流水琴、明修琴，亦均系汪氏所珍藏。

汪氏不独有琴癖，亦且爱花如命。庄中一年四季，奇花异草开谢不断，有目皆可共赏。尤以秋季之菊花，盛开时缤纷五色，争奇斗妍，每盆花多者百余朵，成圆形或方形，绣团锦簇，具见巧工，且公开陈列，任人饱享眼福，此举尤啧啧称道于杭人之口。

张大千与黄宾虹交往趣闻

黄萍荪

黄宾虹长张大千三十岁，两人订交于上海李梅庵书斋。其时大千虽尚未占有世界，以其初露的才华已为梅庵激赏，并加以培育。黄宾虹虽长于张，却小于李，常往请益。一日，见梅庵桌上有石涛画一幅，询李："花多少钱?"李答："五百元。"黄曰："虽然贵了一点，……"接着，从画的纸质到落款、钤印细细地鉴赏了一遍，才肯定下来，说："确是苦瓜真迹，还是值得的。"翌日，黄游城隍庙古玩铺，亦购得一幅。同是石涛所作，且胜于梅庵斋中所见。尤使其惬意的是只花了一百元。他兴冲冲地重至梅斋，告以此行所获，并将百元的猎物摊开供梅庵鉴别，这时大千亦在案侧。梅庵笑而不语，大千忍俊不禁，实则亦其仿作。大千忙掏出百元钱，向宾虹致歉，并收回赝品。宾虹返杭后，书一联相赠，系录方地山句，曰：

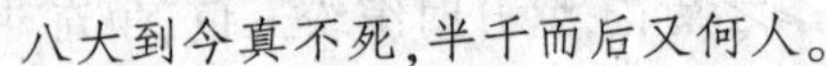
八大到今真不死，半千而后又何人。

若干年后，画商怂恿宾虹去上海湖社开个画展，黄出历年所作百余幅，张之湖社。奈黄喜用焦墨团块作画，沪人不易接受(按：黄之山水，初宗四王，继学渐江，出入查二瞻、黎二樵之间，逐步丕变，自成家数)，三天下来，观者虽众，购者寥寥，人谓黄作犹盖派(叫天)艺术，吃内行而不吃外行。大千极关心这位知己者的画展，当他看三天的结果时，颇为忧虑，翌日派人囊金席卷而去，宾虹不知也。大千既购黄作，加以题识，载往扶桑，果投日人所好，争购之。计其所得，溢原价倍蓰，悉汇宾虹而隐其名。大千奇人，行事多类此。

黄岩的翻簧艺术

严振非

清末民初，黄岩的翻簧艺术名闻江浙，与青田石刻、东阳木雕齐名，称为浙江的三大雕刻。

黄岩翻簧开始出现于清同治年间，其创始人为陈夔典(1853—1941)。陈夔典，字尧臣。自幼从事木雕，为寺院雕刻，有绘画技巧。同治年间，他借鉴同邑人方絜的竹刻艺术，与竹篾匠合作，创新竹刻工艺。取大毛竹去青皮，留二厘米厚的竹簧，煮熟平压，胶贴在木板上造型，然后雕刻各种山水人物，进而镶嵌、彩绘和上光，制成各种工艺品。有供文人作图章盒和雅扇，或供官员作翎盒和朝珠盒等。这种竹刻工艺精湛，造形古朴，深得文人雅士喜欢，因系竹簧翻制而成，在民国时取名“翻簧”。其时，黄岩城内有两家翻簧

竹器社，一是陈夔典、陈珊莲父子的“师竹馆”；另一家是郑松泉的“郑益昌”。20世纪40年代，仅留陈氏一家。产品有笔筒、压文板、文具盒、图章盒、笔插、首饰盒、烟盒、名片盒、扇等。

宣统三年(1911)，翻簧制品曾参加南京南洋劝业会展出。民国初，选送至巴拿马国际博览会。民国十八年(1929)，陈氏父子的作品获工商部特等奖，赐“友梅”二字。次年，翻簧对联获杭州西湖博览会一等奖和银盾一枚，又获浙江省第四届建设成绩竞赛会特等奖。民国二十二年(1933)，获南京全国工艺品展览特等奖。展览会上有诗赞曰：

斗角钩心巧制功，纵横削竹刻精工；
庐山欲识君面目，阿睹传神在此中。

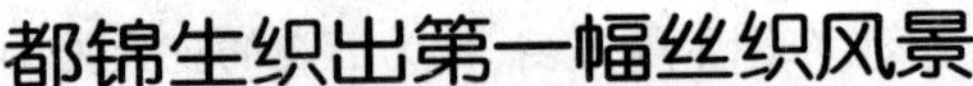

都锦生织出第一幅丝织风景

洪昌文

都锦生(1898—1943)，浙江杭州人，是我国著名的实业家。他首创了丝织风景，他创办的都锦生丝织厂，以其精美的丝织品闻名海内外。

都锦生1919年毕业于浙江公立甲种工业学校机织专业。毕业后留校工作。在此期间，他思考如何在机织方面开拓一个新天地，产生了用祖国传统的织锦技术，织出西湖美景的设想。他在学校的纹工场里埋头探索，反复钻研，经过半年多的努力，终于研究出用八枚缎的画法，用多种不同的点子，分别点出照片中各种细微复杂的线条、光线的变化和远近景色的层次，以求如实地把照片转化在意匠图上，成功地绘制出一幅意匠图。接着，他在学校实验工场亲自按照意匠图轧制花版。都锦生在纹工场的轧花机上不知度过了多少个不眠之夜，最后，他终于在纹工场的手拉机上，一梭一梭地织出了第一幅丝织风景。这是一幅宽五英寸长七英寸的杭州名胜“九溪十八涧”，潺潺流水，弯弯小道，高山白云，无不跃然于经纬之间。

龙渊印社

叶一苇　胡　汀

龙渊印社是我国篆刻艺术史上继西泠印社、乐石社之后，第三个最早之印学研究团体，诞生于抗日烽火之中，解体于胜利之后，现已鲜为人知。

日本猖狂侵华以后，沪、杭相继沦陷。杭州的省市机关及附近各县机关、企业、学校，纷纷向浙南山区迁移。龙泉县一时成为机关林立，人文荟萃之地。当时，有浙江大学龙泉分校副教授金维坚，约集余任天、金石寿、潘臣青、毕茂霖等

人，筹组印社，以寄情于篆刻，抒抗敌之襟怀。遂于1945年3月4日举行成立大会，因龙泉古称“龙渊”，故名“龙渊印社”。每月有雅集，命题创作，共同研讨。其题均以抗日为内容，例如：“还我河山”、“国家兴亡，匹夫有责”、“抗战必胜”、“指灭仇雠天下平”、“永奠世界和平”等，旗帜鲜明，富战斗性，寄热爱祖国，民族自尊之情于“方寸”之中。其社友有一百余人，遍及八个省四十八个县，盛况空前。抗日胜利后，印社迁回杭州，设于西湖博物馆。在杭社员每月的第一个星期天雅集一次，时间约半天，主要活动是观摩作品，畅谈创作心得和讨论一些学术上的问题，大家畅所欲言，民主学术气氛很浓，兴趣盎然。后因馆长金维坚离职，负印社实际工作的余任天也相继离职，印社遂无形解体。

该社自1946年起，创办有《龙渊印社社刊》刊名由潘天寿题签，具体事务全由余任天负责，诸如编辑、刻钢板、印刷、拓印、装订、发行，均一人担任，经常工作到通宵达旦，此种艰苦奋斗精神，真可谓“精诚所至，金石为开”。

“越剧”名称由来

洪昌文

“越剧”现在已成为风靡全国、驰誉海内外的全国性剧种。它原来是浙江嵊县农村的小戏班,也不叫“越剧”,称名为“越剧”只有五十年的历史。

它最早称“落地唱书”,以后,又有称为“女子科班”,或“绍兴女子文戏”、“的笃班”、“草台班戏”、“小歌班”等。1939年,在上海演出的“女子文戏”有十多家,各戏班在海报上或报纸上做广告,虽然都用“××台女子文戏”的名称,但是,在各戏报上,记者和投稿者对之称谓是参差不一,有的称之“绍兴文戏”,有的则称“的笃班”、“女子文戏”或“小歌班”。当时,《大公报》记者樊迪民(1895—1984,浙江杭州人,时改名“樊篱”。)正困居“孤岛”,被姚水娟聘为“越吟舞台”的编导,他想把“绍兴女子文戏”改个固定的名称。当时他正在读李白的诗集以自娱,李诗中有几首《越女词》,细味词意,李白对嵊县剡溪这个地方有特殊的感情。在《越女词》中,李白描写了越女美丽的容貌,也描写了剡溪的青山绿水,曾有“镜湖水如月,耶溪女如雪。新妆荡新波,光景两奇绝”的句子,樊迪民从这里得到启发,首先想

到一个“越”字。同时,他又联想到绍兴是越王勾践生聚教训击败吴国的复兴基地，嵊县是绍属之一,如果把嵊县的“女子文戏”改称为“越剧”,既符合诗仙的意境，也适合抗日战争时代的要求。有一天,樊迪民和姚水娟等人去卡德门大戏院看场子,见到楼上、楼下共约有一千二百多个座位,大家都不免暗暗吃惊和喜悦。樊说:责任可重大啊!姚水娟不加思索地回答:“你我都有两只肩胛，泰山倒下来也要顶住它，有什么可怕呢?我就是要越唱越响,越唱越高,越唱越远。”她一下子连串了六个“越”字,大大震动了樊迪民要为剧种正名的心灵。樊当即把要为剧种正名的设想向她提出和说明，姚水娟毫不犹豫地说:“我赞成改名,从明天起,海报和广告都改称‘越剧’。”第二天,樊迪民还给茹伯勋编的《戏剧报》写了稿,刊出正名为“越剧”的动机和意义的文章,告诸观众。自此以后,各报的“女子文戏”的广告便统改称为“越剧”,“女子文戏”这个名词同“小歌班”、“的笃班”一样,成为历史的名词了。这就是“越剧”名称的由来。

“钱镠铁券”曾流到嵊县

袁六桥

“钱镠铁券”是唐昭宗为了嘉奖钱镠出兵讨伐董昌谋反的功绩所特赐的。

铁券以铁铸成，其形如瓦，高29.8厘米，阔52厘米，厚2.4厘米，重132两，上嵌金字三百五十个，正文共十五行，每行十四字。第十四行“社稷”两字提行，故第十三行仅三字。末行八字。外加大臣衔名一行，计十七字，字体稍小。全文端楷甚工，字体在欧虞之间，雕嵌技术很精。铭文：

维乾宁四年岁次丁巳八月甲辰朔四日丁未，皇帝若曰：咨尔镇海、镇东等军节度，浙江东西等道观察、处置、营田、招讨等使，兼两浙盐铁、制置、发运等使，开府仪同三司，检校太尉，兼中书令，使持节润、越等州诸军事，兼润、越等州刺史，上柱国彭城郡王，食邑五千户、食实封壹佰户钱镠：朕闻铭邓骘之勋，言垂汉典；载孔悝之德，事美鲁经。则知褒德策勋，古今一谈。顷者董昌僭伪，为昏镜水；狂谋恶贯，汙染齐人。而尔披攘凶渠，荡定江表，忠以卫社稷，惠以福生灵。其机也氛祲清，其化也疲羸泰，拯于粤于涂炭之上，师无私焉；保余杭成金汤之固，政有经矣。志奖王室，绩冠侯藩，溢于旂上，流在丹素。虽钟繇刊五熟之釜，窦宪勒燕然之山，未足顾功，抑有异数。是用锡其金版，申以誓词。长河有似带之期，泰华有如拳之日。惟我念功之旨，永将延祚子孙，使卿长袭宠荣，克保富贵。卿恕九死，子孙三死。或犯常刑，有司不得加责。承我信誓，往惟钦哉。宜付史馆，颁示天下。中书侍郎兼户部尚书平章事臣崔胤宣奉。

钱氏世代子孙将它作为“传家之宝”。铁券流传逾千年，到晚清，辗转而为嵊县长乐镇钱姓所得。据长乐《钱氏宗谱》载：“铁券自宋绍兴元年荣国公徙台以后，向为居台裔孙世守。光绪甲辰(1904)间，我族以四百金购归之。”得券之日，长乐钱姓演戏十天，隆重庆贺。合族又订了护券公约，由钱氏三房轮流保管。每逢春节祭祖时，由三房房长监护,吹吹打打,用轿子将铁券从藏所抬到大宗祠陈列,供族人瞻仰,等祭祖完毕,就将铁券收藏起来。抗日期间,嵊县沦陷,长乐也为日寇盘踞,为安全计,铁券的经管人秘密地将它沉于一民家水井中,上用石板封盖;直至抗战胜利,才将铁券从井中取出。1951年,钱姓后裔将它献给当地政府,交浙江省文物管理委员会保管。1959年,由浙江省文物管理委员会将铁券移交中国历史博物馆收藏。

《聊斋》青柯亭本雕板

胡才甫

清乾隆三十年(1765),山东莱阳人赵起杲任严州(现建德县梅城镇)知府。到任后,政通人和,公务清闲,有刻印《聊斋志异》之意。他手头有多种抄本,如周本、刘本、吴本等等,由于借抄者众,应付不了,就决定在当地雕板印行,但因官俸不多,缺乏资金,不能如愿。后经藏书家、鉴赏家鲍廷博(以文)的大力支援,开始进行雕板。当时决定由余蓉裳负责审稿,郁佩先及赵皋亭担任校对,赵起杲亦亲与其事。一方面校勘订正,一方面雇工雕刻,到乾隆三十一年五月,完成《聊斋》十二卷中的八卷,这就是著名的《青柯亭本聊斋》,也是《聊斋》最早的版本。

书印成后，把全部雕板存放在严州府署。赵起杲本人不幸于是年五月以病逝于严州试院。后四卷由鲍廷博续成。

严州于民国初年改府为建德县，不久这批雕板移存于县文化馆（原系明代建筑，名天妃宫）。1955年大水，馆屋进水，雕板没有转移，遭大水冲走（据解放后梅城文化馆馆长方长才记述）十分可惜。

青柯亭原是严州府署里的一处亭子，明代称为“桂花亭”，入清称“青柯亭”，因《聊斋》版本名而传誉海内。

千晋斋藏砖

周采泉

宁波府城隳城之役(1928—1931)，考古家马隅卿(廉)适在甬，巡视城基，得有东晋年号砖，大感兴趣。决意继续搜索，每日赴现场拾取，积久凡得晋砖千品，因名其斋曰“千晋”。晋砖长三十公分有奇，宽七公分，厚十余公分，东晋年号大致皆备。砖旁年号字体为“晋隶”，即无年号，就其“几何纹”亦能辨之。砖因烧时火力强，故坚硬如石，两番出土，文字尚完整无损。按宁波城筑于唐代，想当时毁晋墓之多，又可见唐以前宁波文化之盛。砖现均由天一阁保存。

考　靴

叶一苇

1931年间，我回故乡武义草马湖，清理祖先遗下之家具杂物，忽发现有绸布靴一只。靴面以黑色绸制成，绣花；靴底以多层白布叠砌，靴跟高寸许。敲击间，忽有一小抽屉滑出，内藏紧扎小白绸三四块，如手帕，绸间抄有《四书》篇章，字迹小于现在六号宋体铅字，蝇头密密。靴跟外观，白布层叠，烫以白粉，天衣无缝。

我持以问之叔祖，告曰："此乃清代科举考试时作弊用物，彼时做'八股文'，须引用《四书》语句，不得脱漏，难以逐字记诵，故带此查阅。因考场检查甚严，穿着此靴，易于混进，为当时最巧妙之'夹带'。"

施昕更发现良渚文化遗址

金承宪 整理

良渚文化是新石器时代晚期的原始文化，距今四五千年，遍布整个太湖流域。其遗址的发

现者是青年施昕更。

施昕更(1911—1939),原名兴根,余杭县良渚人。他是杭州西湖博物馆自然科学部地质矿产组的助理干事、绘图员。民国二十五年(1936)五月,他参加发掘杭州古荡文化遗址,出土的有孔石斧,曾在家乡见过,是年七月间回家,他在枯涸池底捡得石器数件,并在地面发现许多陶器碎片,其中有陶鼎足。十一月初,在西湖博物馆馆长董聿茂等指导下,再赴良渚,在棋盘坟进行发掘,出土大批陶器。查看资料,认为与龙山城子崖黑陶文化相似,但又有不同之处。接着在十二月和次年三月,又进行第二次和第三次发掘。南京中央研究院语言历史所董作宾、梁思永闻讯曾到遗址观察。发掘范围逐渐扩大,涉及良渚、安溪、长命、大陆四个乡的棋盘坟、横圩里、茅庵前、朱村兜、荀山、许家兜、近山、横村塘、大雄寺、钟家村、金家弄、宋村、后河村等十余处,获得石器和陶器两大筐。经过整理和研究,在同事钟国仪等的协助下,于民国二十六年(1937)春写成六万多字的《良渚》一书,详细地介绍了发掘经过和收获,并根据资料提出颇有价值的看法,制图一百余幅,由西湖博物馆出版。文稿付排后,抗日战争爆发,杭州危在旦夕,印刷中止。付排稿存放老家,又遭蛀毁。幸原稿尚存,随西湖博物馆几度迁徙,施昕更均随身携带。博物馆经费拮据,无力再印,为免功亏一篑,馆长董聿茂携稿向浙江省教育厅呼吁,教育厅同意出资

印刷，于是由钟国仪去上海中国科学公司付排印刷。民国二十七年(1938)秋,《良渚》一书终于问世,引起国内外学术界瞩目,为长江下游考古研究开拓新的篇章。施昕更积劳成疾,战时医疗条件又差,无力医治,于民国二十八年(1939)五月不幸病逝于瑞安,年仅二十八岁。其后,考古界对良渚文化遗址继续发掘和研究,1959年底,由夏鼐先生提出“良渚文化”的命名。

1972年以来，经过碳14测试的断代数据确定，从年代上证实，自马家浜文化——崧泽文化——良渚文化的历史发展序列，组成了太湖流域的原始文化系统。1986—1987年,反山、瑶山大型墓葬群和祭坛遗址相继发掘，考古界对良渚文化的社会性质又有了新的认识，良渚文化的晚期，已不应再视作处于原始共产主义社会,而是已进入阶级社会,隐现出雏形的国家。

西湖白云庵与辛亥革命

张任天 口述　汪振国 整理

西湖白云庵，在杭州南屏山之阳，面临西湖，占地不广，而结构古朴，湖光山色，风景清丽。庵内亭榭假山，杂莳卉木，清幽可爱。南宋时称慈庵，为内廷宫人游憩之地。明末改名白云庵。清高宗南巡时，临此庵，赠名漪园。园右有月下老人祠，问婚事者，多来此求签。

光绪二十年间，有老僧携徒游方至此，爱其清静，遂隐于此庵。僧名智亮，绍兴籍，俗姓吕，为清雍正时被戮尸之抗清志士诗人吕留良之后。其徒名意周，俗姓李，淮泗人，据云乃太平天国名将之后裔,亦愤清廷之统治而出家者。师徒豪侠尚义,曾在少林寺习武,造诣颇深。他们对同盟会、光复会革命党人极表同情。徐锡麟、陶成章、秋瑾游此庵,即深相结纳,使之成为浙江革命党人三大秘密点之一(另二处为绍兴大通学堂及嘉兴温台会馆)。蔡元培、章太炎、陶成章、敖嘉熊、褚辅成、王文庆、魏兰、徐锡麟、秋瑾、谢飞麟、龚宝铨以及浙东会党魁杰沈荣卿、周华昌、竺绍康、王金发、张恭等到杭州,多在此庵密商光复大计。徐锡麟赴皖经杭州,最后一次馆是庵多日,与秋瑾、马宗汉、陈伯平、吕公望等共商浙皖同时举义。黄郛、陈英士亦曾三次在此庵秘密传达同盟会东京总部指示。光复后,孙中山、蔡松坡亦曾游此,并题匾额楹联。

光复后,杭州多次举行革命胜利游行集会,均邀智亮师徒参加,厚予馈赠,师徒均婉谢,语人曰:“名闻利养,非出家人所受也。”未几即云游他山,不知所终。

民国初年,政府曾建辛亥革命纪念馆于庵殿之侧。1959年10月10日曾在此纪念馆开会,公祭辛亥革命先烈,有光复会老人多人发表演说,追述革命先烈事迹。

禅源古寺惨遭日寇浩劫

林　泽

西天目山是浙江省有名的风景区，古木参天，向来为研究树木的宝库。禅源寺位于山麓，占地颇广，建筑宏伟，有上千间房间，是佛教的一个有名寺院。1941年4月16日上午，日本侵略者轰炸机七架飞临上空，起初没有找到目标，把炸弹投向隔山的於潜一都。这时禅源寺左侧山岗上忽然茅草起火，从山腰烧向山顶，显然是汉奸纵火为号，于是敌机集中在古寺上空盘旋，连续投掷炸弹、烧夷弹三十余枚，顷刻之间大火熊熊，猛烈无比，把整个庙宇变成火海，烧得精光。

禅源寺中有名的大雄宝殿、韦驮殿、藏经楼、方丈室和来青楼，画栋雕梁，美轮美奂，数百年的建筑精华，一霎时尽毁于火，仅留下养老堂一小部分边屋。前代传下来的锦绣袈裟、藏经、玉佛、舍利珍品和方竹坛也俱付灰烬，损失难以数计。寺门前周围有几十株高大柳杉，年久中空，火从树心燃烧而上，火舌四面窜出，彻夜不灭。沿山多茅草杂树，大火层层蔓延山外，愈焚愈广，不可收拾，幸得次日黎明一场大雨，大火始熄。当年浙江省政府浙西行署和第一临时中学都设在禅源寺里面，包括寺僧、学生、职工，不下一千五六百人,幸警报发得较早,已经走避山间,无一伤亡。

杭州城河的淤塞

洪昌文

杭州市区自古以来有许多河流,至民国时,尚有南北流向的市河四条。自西而东,有西河(旧名清湖河,又称浣纱河)、小河(一名市河)、大河(亦称中河,又称盐桥河)东河(旧名运河,又称菜市河)。今仅存大河与东河矣。

小河在城区中部,东起中河新宫桥北侧,北至洗马桥,接浣纱河出武林门,全长约四公里,为杭州城区古河道之一,在抗日战争时淤塞。那时,小河附近居民,每日粪除之垃圾没有去处,大都倾弃于小河中,日堆月积,河床填平,1946年筑为路,称光复路。小河填塞后,河上桥梁已全部不存,但部分桥名已成为街道名称。

西河上游的运司河 (劳动路段)、涌金池水(涌金路段)、三桥址河(定安路、惠民路段),下游的东浣纱河 (浣纱路北段折东至众安桥庆春路段),分别于民国二十五年(1936)前,先后填塞为路,涌金门水(开元路西段)、浣纱河(浣纱路段)亦于1973年填塞,筑为三层,底层为排水暗渠,中层为防空洞,上层为浣纱路;自八字桥投西折北之西浣纱河，则改筑为排水暗渠和防空洞。

武义的击壶亭

叶一苇

1942年5月23日，日军攻陷武义县城，国民党县政府迁至南乡新宅。县长蔡一鸣于1944年在新宅菊溪之畔建筑一抗战纪念亭，取名为“击壶亭”。亭名有双关义，其一：武义县城西门外有壶山，是县城之标志，已为日寇所据，击壶即打击日寇，收复县城；其二：《晋书·王敦传》云：“敦每酒后辄咏魏武帝乐府歌，以如意打唾壶为节，壶边尽缺。”世人因以击碎唾壶为叹赏诗文之词。蔡一鸣善于诗，编有《岭上草堂唱和集》。我那时曾登亭写过一绝句：“菊水清流兴不孤，登亭可向万山呼；笔端时蕴诗心壮，一遣情怀共击壶。”

张又莱与万菊亭

丁　卯

杭州西湖中山公园内有座亭子，名“万菊

亭”,这是为纪念杭州艺菊名家张又莱先生所建造的。

张又莱先生民初曾任海军部参谋，慕渊明之高风,独爱艺菊绘菊。精心培育了不少名种。对菊临池,创作了很多佳品。曾举办菊花展览会于万菊圃,圃即在杭城紫金巷张先生寓所。张先生病故,遗命将所艺菊花名种及所绘菊花佳作,全部送赠前杭州市政府，市政府便建造了这座亭子并立了碑,以纪念这位艺菊名家。可惜抗战时期,因无人培育管理,人亡圃空,但美好回忆永留人间。

莫干山上的皇后饭店

汤彦森

莫干山是一处避暑休养胜地。自20世纪初起,中外有产者就纷纷上山购地造屋,房屋大都为欧美式的小洋房，以各种式样点缀于群山腰间。这股购地造屋之风至抗战前夕形成了高潮,其时大小房屋达数百栋之多。其中最富丽堂皇的一栋是杭州丝绸业巨子蒋海筹之弟蒋抑之于1936年建成的。蒋抑之以银钱业起家,1935年前后,在山上大兴土木,盖了各种大小不同的洋房向社会出售,生意兴隆,确实也发了财。其中最大的一栋有五百多平方米,为蒋氏自用。这幢房屋采取西班牙式样，房间走廊有四米多宽，为了便于采光、通风，全部墙面都采用大门窗、大玻璃，地板、门窗、护壁的木料都是进口柚木，壁橱全部用防蛀的香樟木制造。

抗战军兴，杭城沦陷，蒋氏避难上海，山上这偌大的房子长期空关着，仅留一、二人看守。上海有人向蒋氏租用此房，开了个旅馆，取名皇后饭店，有点像现在的宾馆，住的人不多。抗战胜利后，莫干山又热闹起来。听说有一次蒋介石与宋美龄上山去，在皇后饭店住了几天。因为都是姓蒋，不少人误传是蒋介石的产业。

沈家本的一副对联

潘仕仁　王克文

沈家本(1840—1913),湖州人,清末著名法学家,同时也是一位杰出的爱国主义者。据湖州现年九十五岁高龄的谭建丞老先生回忆，沈家本晚年致仕家居时,眼看清政府腐败无能,列强军事经济入侵,痛心疾首。曾于宣统元年(1909)在湖州写过一副对联：

庙堂敧器在告计臣勿竭民膏

瀛海漏卮多愿我国急求商战

从这副对联中，我们不难窥见沈氏忧国忧民之心和仁民爱物之情，也是沈氏对清廷的一份极为精炼的谏诤奏章。

张宗祥自序《骑狗集》

张　珏

张宗祥(1882—1965),字阆声,号冷僧,海宁人,抗日战争时在重庆,曾凭回忆写成一部专记一生中所遇到的笑话集,原名《苦乐集》,解放后改名为《骑狗集》。集中记载亲身经历,及与王国维、章太炎、鲁迅、沈钧儒等交往时的笑话。关于写书经过及书名,他在序言中说:

> 戊寅夏,自汉上退至桂林,夫妇二人携三行箧,中无一书。流寓异地,亦无书可借。穷居山麓屋中,与牛栏接,日闻磨声隆隆。暮则随牛至山石间,坐石上,看牛吃草。闲甚,无以自聊,因举所闻、所见、所亲历诙谐可笑者笔之,成《苦乐集》一卷。时敌氛正盛,国之存亡同于累卵。取此名者,用谚语"黄楝树下弹琴",苦中得乐意也。岁底,至重庆。　己卯,五三、五四,日机肆虐,巴市半毁。寓屋在江家巷,市廛栉比,亦遭毁灭。五儿同抢救衣物,而此书及《铸鼎录》等稿则尽佚矣!庚辰,寓中夜间无事,能记忆者,复为补录。胜利东还,续有所闻见,则更益之。解放后,来湖上已将十年矣。十年之中,

国势强盛，一日千里。予虽日老，而心则真乐而不苦，既复又有所记。而“苦乐”旧名，不可复用，乃更之曰“骑狗”。谚云：“老寿星骑狗，自得其乐。”寿星，不敢当。老则真老，乐则真乐，故用之也。以“乐”谐“鹿”，此硖石人土音如此耳。一九五九年九月二十二日，海宁张宗祥记，时年七十有八。

西湖博览会的会歌

丁 卯

民国十八年(1929)在杭州西湖举办了盛况空前的西湖博览会。当时在各展品场所都可以听到一首以手摇留声机唱片放送的歌曲，这就是西湖博览会会歌。歌词作者是中央大学教授、著名词曲家吴瞿安先生。会歌全文如下：

薰风吹暖水云乡，货殖尽登场。南金东箭西湖宝，齐点缀，锦绣钱塘。喧动六桥车马，欣看万里梯航。明湖此夕发华光，人物果丰穰。吴山还我中原地，同消受，桂子荷香。奏遍鱼龙曼衍，原来根本农桑。

这首西湖博览会会歌，真挚地抒发出自豪感和描叙了此会的盛况。

博览会会长张静江对这首歌词十分赞赏，以指击桌连续读了三遍，立即亲笔批条：“送稿

酬一千元”，派专人送往南京吴教授亲收。

台湾少年团团歌

夏　云稿　汪振国整理

抗战初期，在台湾的同胞不堪日本帝国主义奴役，有不少人逃离台湾，来到祖国大陆参加抗日活动。1939年初，有一部分台胞集中金华，在中共地下党领导之下，成立了台湾义勇队，老的五十岁上下，小的只有十二岁。义勇队就把一些年幼的孩子编成少年团，参与慰劳、宣传工作。在培训中，创作了一首团歌，作词者是张一之，谱曲者是牛光祖。歌词如下：

“台湾是我们的家乡，那儿有人五百万不自由；台湾是我们家乡，那儿有花千万朵不芬芳。我们带了枷锁来人间，我们受着麻醉过生活。离了家乡，奔向自由，要把自由带回家乡。我们会痛恨，不会哭泣；我们要生存，不要灭亡。在压迫下斗争；在学习中成长。要造就宇宙般宽的胸襟；要锻炼铁石般的心肠；要团结千百万的儿童；要收回我们的家乡。我们将和敌人拼个生死存亡。”

每天清晨在激昂嘹亮的歌声中，一群孩子迎着太阳迈步走向前方。

茅盾十二岁时的一篇作文

茅蔚然

下面是文学巨匠茅盾(原名沈德鸿)在十二岁那年写的题为《宋太祖杯酒释兵权论》的作文：

宋太祖杯酒释兵权，人皆嘉其智，余未敢信也。夫太祖起自检典，勋望素著，陈桥兵变，黄袍加身，群情推戴，愿移周祚。太祖岂本有是心哉，第以麾下阴谋，逼于不得已耳。故既定天下，即因赵普一言而起疑忌。盖已为臣下所推，诚恐石守信等兵权既重，其麾下思附龙尾以取富贵，故从容置酒，始则动以危悚之言，继则接以款洽之语，诸将遂乞解兵权。不费斗粮，不折一矢，而后世藩镇跋扈之患永绝，太祖之智。岂料边隘无大将，而辽人必入，州县无重兵，而天下瓦解，以太祖之智略，而计不及此，何也。虽然兵权之削，谋出于普，普固文士，岂计及辽人之侵入也。其后初逼于辽，再逼于金，至元代而宋亡。且夫天下之事，谁可逆料。如变乱在太祖既死之后，赵普未殁以前，普亦无颜见太祖于九泉矣。且斯时天下未大靖也，辽据燕之十六州，常思南下，蓄兵婣武

且不暇，况削兵权哉。如以为子孙除患，则偃武休兵，适足强敌，书生领州，终致荡然无备。留强臣于后世，所以制强敌也。且子孙有统驭之才，则虽臣下有曹孟德司马仲达之枭雄，而亦无所惧也。如子孙无统驭之才，则天下岂少枭雄哉。奈何去强臣，削兵权，而为子孙计，使青萍结绿，徒湮没于尘埃中耶。至于金人进逼，二帝被虏，高宗南渡，称臣求和，岂不见太祖之所以为子孙计者，适以祸子孙也。普之误国，帝之失策，固何如哉。虽然帝以杯酒而收兵权，其保全功臣，较汉高祖去远矣，则是太祖之杯酒释兵权，如为功臣计矣，而非为子孙计矣。噫！

于子三烈士墓记

刘操南

1947年10月29日，浙江大学学生自治会主席于子三惨死于浙江省保安司令部狱中，激起全国反迫害运动。时以“一〇·二九”惨案称焉。为中国现代革命史谱写了光辉的一页。是年12月，浙大外文系同学邵浩然诣余珍珠巷寓，嘱撰墓记及联；山东同乡会亦请为撰挽联。余亟应之。倏忽已越四十余年矣，稿犹存于箧中，墓联云：“男儿死耳江水白，英魂来兮凤山青。”挽联云:“万里叩乡关，雨夜凄凉东海远；千秋赍壮志,孤魂寂寞凤山寒。”余亦自挽一联云:“故人来乎,雨夜凄凉遵义梦;侠士去矣,忠魂澎湃浙江潮。”并为撰墓记一文:

故国立浙江大学学生自治会主席于君子三墓记

民国三十六年十月二十九日，君以无辜而惨死于杭州浙江省保安司令部之狱中。呜呼,其亦甚可哀矣。夫君之所以致身囹圄者,以是月二十五日,贺友人婚礼于客邸,不意深夜竟以嫌疑被逮。二十六日,学校当局与同学代表，乃急赴保安司令部查问真相，并根据法律，要求于二十四小时内,移送法院,然而竟遭拒绝。延至二十九日,君竟以自杀闻。消息传来,全校震惊。寻又获知其自杀也，系以玻璃二片。校长竺公，曾亲往狱中勘视。即觉监狱之警卫森严,玻片来历,实属可怪。而看守所言玻片出处,自杀情状,又复支吾其词。第二日,同学集队千余人,前往狱中,瞻视遗体。血痕斑驳,惨不忍言。于是同学莫不悲切改容,甚者号啕痛哭。既归乃为发丧于校内,广播于全国,亦且络续详征证据,提起诉讼。当是时本校教授会、讲师助教会、学生自治会,以及其他会社,皆相继为维护人权,发出宣言,哀悼君之惨死。校长竺公,亦以应同学之请,特赴南京请愿。并将惨案经过,

布露报端，指陈其事之可疑与夫责任之所在。且不胜感慨，以谓君之惨死，恐成千古疑案矣。自是以后，其事遂远播于四方。闻之者识与不识，无不哀恸。不数日，上海、南京、杭州、北平、重庆、昆明、武汉、广州各大学、各中学，纷纷罢课，力主彻查真相，复先后赠以挽章，助以赗仪，无虑数十起。相率以"一〇·二九"惨案称焉。夫当今之世，疑忌严刻，动辄得咎。是以人皆缄默。相诫明哲保身，而独于君之惨死，海内人士，若不胜其扼腕者，是岂偶然也哉。君讳子三，山东牟平人。民国三十一年以不堪敌伪暴行，毅然负笈皖北，入国立二十二中学。既毕业，乃应国立浙江大学农学院农艺学系考试，中式。三十五年，随学校复员来杭州，勤苦好学，成绩优异。其为人有古仁人义士之风。热心公益，而勇于任事，复以擘划多方，不辞劳怨，故每为同辈钦慕不置。又雅好关心国事，疾恶如仇，遇事激发，不为讳饰。故或谓其触忌得祸，系由于此。呜呼，天道人事，果如是耶。君之殁，距生仅得年二十有四。山东故里，尚有老母在堂，弱弟无依，风雨晨夕，南天望断，其可哀也已。君死之日，去今已月余。其事诚有不可已于言者，是故谨叙其原委终始，镌之贞珉，传之永远，亦以慰英灵于九泉，且昭告于邦人君子。

硖石彩灯

张宗祥

硖以灯名，灯不在灯节，在正二月、二三月之交。不悬于市，不架为山，小者持诸手，悬诸竿，大者数人肩之，周一市，故俗命之曰迎灯。灯不年年有；即有，不年年盛；即盛，不年年同。硖一镇分为十余坊，坊各自为灯。灯之起始于一二坊，无继者则颓散不复盛。此坊起，他坊继之，相消也。互相消，则互相竞；竞则愈奇愈盛，哄然十余坊均出。坊各为一大灯，数十小灯，前导以燎，辟行人，继以火牌，牌镂纸为字，一面曰某坊，一面曰某灯，或不直书，用隐语以状，如三才亭之为鸡亭也,然必切于大灯。大灯盖一坊主灯也,主灯合一坊人力物力成之,余小灯人各自造,参预其间,或讽刺(如棺中伸手要钱之类),或写实(如家乡肉烧白菜之类),或浮薄(如用竹条装双蝶其上,可以斜飞,遇妇女立暗地,即飞以照之),或武勇(如火流星之类,兼以开道),惟造者之意是适。而米市无大灯,特以纸伞名,且独晚出。今年纸伞出,则灯极盛矣。纸伞之出,数十人持竹竿拦道,人持伞行其中,每伞前一人,持竹枝敲地,导持伞者,恐人挤伤伞,或路不平也。灯大者不能并行于街,东西南北或相值,不能避,故必先约迟早,使行不相值;或合数坊为一,累累然长里许,若天潢诸星相属也。灯大者一,若麒麟,一麒麟徘徊花树下,能举足俯颈,抓爬其痒处。若狮,悬一球台前,狮时时自台中跃出作攫拿状。若和合,择二童美好者,坐在花丛中,捧纸盒。若刘海戏蟾,中立一童子状刘仙,脚下伏一大蟾,仙持钱绳,钱皆燃火其中,钱能循绳上下,蟾亦能举前足作攫钱状。若观音,饰一童立鳌上,手持瓶,瓶中有水下注,绕以竹及杂花。若凤凰,若仙鹤,凤花用牡丹,鹤花用梅,皆能回颈刷翎。若雕伏兔,台上杂树花木,一干独高,上立一雕,侧首下视,下以纸糊数石,石隙中藏一兔,兔出,雕疾飞下扑之,兔返奔入洞,雕则旋其身,振翼复上树,飞时先拳其足如真雕,或曰,此台初成,鹏飞足不拳缩,人以为诮,扎此台者,铜匠也,闻诮,思数日,卒能拳足飞。若空城计,以纸

为城，上坐武侯，弹琴饮酒，意洒然也，司马仲达则引兵往来城下，人马皆以纸。凡台，其基皆纸，镂为花鸟人物，篆隶行草，针刺其隙，而烛其中。凡烛皆视其所需，各异其制，有用小蚌壳承油，注短芯其中以燃者，故凡花中盒中可以容火之处，无不著之；近或代以干电，风趣异矣。凡需水者，台之底用一瓦盆，盆外仍纸围之，与他台同。亭，若鞦韆亭，亭基及柱，绕以花木，上覆以顶，顶皆针刺作瓦形，中立一架，架上四偶人，架转则偶人荡漾空中。若香亭、梅亭、牡丹亭、三才亭，亭皆三层，层各有花、有栏，有灯悬其中，有瓦覆其上，瓦皆刺纸状之，四周有角，或六或八，角皆有铃，顶或饰花、饰禽、饰兽不一。而三才亭则下层立三雄鸡，鼓翅作斗势；香亭中列古鼎，焚异香，此其异。亭之制静，放一花、一叶、一针、一刻，皆工细无伦。台亭之外有桥，桥皆有亭，若闽中诸桥，亭中饰童二人坐之，或留侯进履，或牛女相会，凡与桥有关者，皆可状之。桥之外有船，船有篷，有窗，有灯，举船所有之物皆备，而桨中亦有烛燃之，船中编树荷花，船前后各饰一童，状采莲越娃。而米市之伞，独以书画工致闻。全米市伞以六七十计，或绘水浒，或图西厢，或钩淳化，或摹群玉，至若费晓楼仕女，张叔未隶草，亦间有之。平时佳伞可入典当，每伞五十金，事亦奇矣。一大灯之费，五六十金至百余金。一伞之费亦如之。一坊一夕出灯之费，十余金至二十余金。四方来观者，舟车饮食妆饰之费，乃不

能计。灯之盛时，人相挤于道，呼声、詈声、觅伴声、锣鼓声、丝竹声，下及遗簪堕舄之事，不可胜记。故言灯事必曰硖石云。

硖无龙灯而有狮灯。牙西一坊，染作所在，壮夫独多，灯时出一巨狮，头颈均用铁圈，四壮夫主头，四壮夫主尾，中间复用四壮夫，择广场舞之，较龙态尤佳。尚有所谓滚灯者，劈大毛竹扎成，高二三丈圆球，外以白布裹之，中悬一灯，灯可随球滚动，时旋转，聘武师立球上呈技，此皆高武赛力之举。滚灯余生平见一次，为余邻伤科医生汪幼甫所办，父子固皆以拳术名者，其父平甫所用锏重十余斤，固武师也。

绍兴酒与周清

何信恩

1915年，绍兴酒参加了“巴拿马太平洋万国博览会”陈列，在对手如林的竞争中，绍兴东浦云集信记酒坊的“周清酒”首次在国际上打响，获巴拿马太平洋万国博览会金牌奖，为祖国争得了荣誉。从此，绍兴酒名声大增，被誉为“东方名酒之冠”，远销世界各国，成为绍兴人的骄傲。

绍兴老酒是如何打入国际市场的？这与金牌得主周清直接有关。

周清(1878—1940)，原名幼山(友三)，出身于绍兴东浦东周溇的一个酿酒世家。东浦镇是绍兴有名的水乡、桥乡和酒乡。境内酒坊林立，酒旗重重，晚清著名学者李慈铭诗有“东浦十里吹酒香”，“夜夜此地飞千觞”之句。会稽才子陶元藻的《广会稽风俗赋》中称“东浦之酝，沉酣遍于九垓”。周清祖上周佳木于1743年在东浦开办酒坊，取名“云集”，意在名师云集。经过周佳木以后几代人的经营，“云集” 酒终于成为绍兴黄酒中的佳品。

周清从小生活在酒的世界当中，耳濡目染，深谙酿酒制作的奥妙。当时绍兴酒坊酿酒都是聘请一位师傅，凭老经验酿酒，质量好坏均系一人之身，有很大的风险性和盲目性。周清自幼对自然科学抱有浓厚的兴趣，二十三岁入北京京师大学堂攻读农学，获农学学士学位，后又攻读北京大学生物系，奠定了深厚的学术基础。

周清寓京八年，一面读书，一面兼作绍酒推销员，他开辟了一条将绍酒船沿京杭运河至北京的定点销售路线。因而短短几年内，绍兴酒就南北贯穿风靡全国。大学毕业后，周清回浙江任杭州高等师范学校生物教师，旋任浙江省立甲种农校校长八年。执教之余，他写就《绍兴酿酒法之研究》一书，对绍兴酒的成分及优点，绍兴酒的原料及各道酿酒工艺都作了科学的分析，具有很高的学术价值。书中还开列了当年送往巴拿马展览的包括小京庄酒四坛以及研究报告一份，木制模型三十余件和照片八张等在内的样品清单，说明送展的内容是非常完备的。书一出版，日本人首先翻译该书，并依据书本所述方法酿出老酒，其味竟与绍兴酒十分相似。然绍兴酒越陈越香，而日本酒却未及一年便生质变。周清闻讯后一语道破其中的秘密："绍酒名驰中外，各处所难以仿造者，水质之不同也"。

周氏一生集教育家、实业家、著作家于一身，在农业科学上颇有建树，培养出像吴觉农这样的"茶圣"。抗战爆发后，周客居江西，因患恶性伤寒而病逝于异乡。

义乌的斗牛节

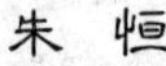

朱 恒

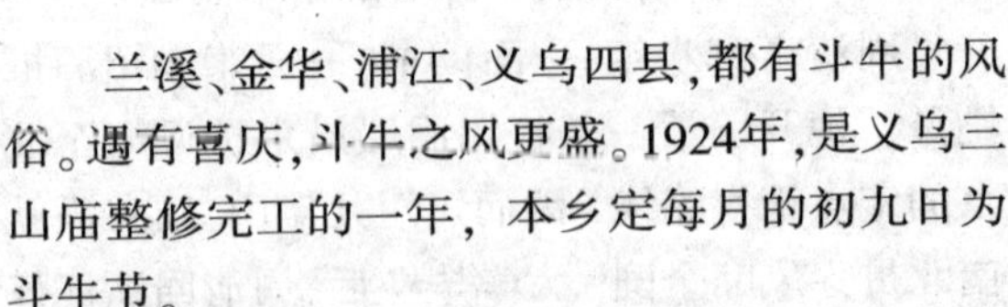

兰溪、金华、浦江、义乌四县，都有斗牛的风俗。遇有喜庆，斗牛之风更盛。1924年，是义乌三山庙整修完工的一年，本乡定每月的初九日为斗牛节。

三山庙区的大村子，大户人家先后买进了能斗的大牛。尚阳村从金华买来一头叫"北山"的牛，进村时，前后有十六个身穿漂白衣裤、头戴山东凉帽的壮汉牵引，前面有乐队与吹鼓手，牛背上插有四面小旗，后面有跟随，其中一人举着"帅"字的督旗，威风凛凛，群众夹道欢迎。前殿村买进了一头个子较小，头上两角笔直向上的牛,叫“西洋金刀”。

逢九的这一天，各村的牛陆续牵到三山庙附近溪边的草地上。三山庙在山边,山下有一块约四亩的水田,老小妇女多站在山上,以山坡作看台;壮年男子喜欢在田中,距离近,看得过瘾。

斗牛的前几天,养牛的东家,各找对象,预先约定。斗的牛,多时三十余对,少时也有二十多对。有的牛,角会摇,叫“摇铃”,斗起来,角就硬了。如牛的本领不大,主人可以托撤牛的人作弊，即乘人不意，暗中将绿豆一颗放入牛的耳内。这时,牛不舒服,就会逃走的,也有的用小钱磨成极薄有如小刀,乘机在牛某处暗暗划一下,牛会因痛而逃。如果作弊被发现，会酿成人斗了。

一次是“北山”与“西洋金刀”并对相斗。“北山”个子大,两角粗而横生,长约一尺;“西洋金刀”牛身小,两角直矗,长也约一尺,角都磨尖。两牛相近时,牛绳都抽掉,旁边有十余撤牛者。“北山”坐庄,“西洋金刀”冲撞,“北山”巍然不动,不多时,“北山”牛稍后退,随即把头一仰,迅即把横角横撞对方,“西洋金刀”受痛,但仍以角相顶,一大一小,势均力敌。斗约半小时,不分胜负,在旁的撤牛者,遂以平局拉开双方。观众为之喝彩。

桐乡养蚕习俗

杨超明

浙江桐乡自古以来是养蚕地区。旧时，每年分头蚕、二蚕两熟。现则可养五次了，即春蚕、夏蚕、早秋蚕、中秋蚕、晚秋蚕。

旧时每年腊月十二日，石门、乌镇、濮院、屠甸等地农村俗传为蚕生日。届时，养蚕户以米粉掺入南瓜成黄色，或拌了草头成青色，或用纯白粉，做成似大茧状的粉圆，虔诚祭祀。有些地方并作歌："黄金白金鸽卵圆，小锅炊热汤沸然。今年生日粉茧大，来岁山头十万颗。"祀求赐个蚕花丰收年。

清明节前后有庙会，俗称烧香节，热闹非凡。届时，养蚕女子发髻上插着红色精制"蚕花"，男子则别在帽沿或胸前，以图吉利。传说这种习俗源于春秋时，为西施首创。石门、芝村等靠近含山一带均有此俗。蚕妇到香市，必去庙前池塘洗手，以为能手气好，养蚕必然顺利。

养蚕期间必祀蚕神。蚕神即民间所传的"蚕花娘娘"或称"蚕花菩萨"，又称"马鸣王菩萨"、"马头娘"、"马头神"等。传说这个神是一女子身裹马皮变化而成。宋高宗封"马鸣王"为蚕神，传谕各地建造庙宇供奉。芝村的蚕神庙，人称"龙蚕庙”。清明时节,当地用两只农船并列,供佛台于船上,祀以素食。蚕农们四面八方来船汇集,向蚕神朝拜,祈求蚕花茂盛。祭祀仪式后,各方来船开始表演各种节目。龙蚕会会期长达三至五天。河港两岸,围观人群终日不散。羔羊、石门一带则有请“蚕花五圣”(天神、土地神、门神、灶神、栏垫神即猪羊栏神)的习俗。

桑树萌芽时,这里有句俗语:“清明切口(萌芽),看蚕娘娘拍手”,反映了蚕妇喜悦的心情。蚕种买到手,就紧贴胸前衬衣外催孵,爱似亲子,谓之“宝宝”。蚁蚕出,则用鹅毛掸入小匾,将桑叶切细饲之。为保暖,小匾放于床上,落下蚊帐,蚕妇夜间与之同卧。到二眠(俗称“出火”,意思眠后蜕皮时间短而快,形容似点火那样短暂)后,放到蚕台上,下面用炭火盆保暖,关起大门,出入走后门。这期间各户很少往来,有事串门须折桃枝插蚕户门边或放屋里墙角,以示避邪。在众多的大蚕中如发现个别小蚕,蚕妇就把它吞入腹中,认为一世可养好蚕。蚕到眠期,如发现尚有少数迟眠的就拣出来放在另一匾里。如迟蚕较多,则在眠蚕匾里放上蚕网,铺上桑叶,使迟蚕行(忌“爬”字,认为“爬”是虫,“行”是“宝宝”)上,从而拎起蚕网放到空匾里,谓之“提青”,并称迟眠蚕为“青娘”。即将上簇的蚕称老蚕,其时吃叶不停,叶片剩根。上山(上簇)前一天从晚吃到次日,一周时三餐,叶不过饲,也不让饿,饿了影响质量和蚕茧产量。发现考娘(大眠后吃叶约七八

周时蚕有透明状，蚕身开始变形、爬行)就逐个放于簇上。这时大门横栏门口，用苇帘替代大门，保暖又透风。

蚕上簇后，至亲好友相互往来探望，谓之“望山头”，又名“望蚕讯”。礼物是大黄鱼或鲰鲞(谐音“立想”，意思是丰收在望)、绿豆糕或软糕、枇杷等。这些固属时令货，但其色或黄或白，表示黄金白银财物进门，讨个好口采，图个吉利。新娶媳妇娘家第一年来“望山头”，礼品更是丰盛。用大竹箩挑来足足一担或分挑二担，其中有鱼、蹄子、肉、鸡、鸭、爆竹、百响，还有很多大粽子。凡来“望蚕讯”的，均留吃饭，新媳妇娘家来人更是盛情款待。

采茧时，用大小不等盛器，采满倒入匾内。但忌说“倒”字，要说“长”。认为“倒”是“倒霉”，“长”是“茂盛”。

乌镇姑嫂饼

茅蔚然

1947年，我在桐乡师范任教时，每逢星期天，就到各地去走走，最先去的地方是茅盾的故乡乌镇。茅盾的不少亲族是我的学生，他们用当地的著名土特产来招待我。乌镇的土特产有姑嫂饼，这种饼的形状比棋子饼略大，滋味鲜美，油而不腻，既甜又咸。

据说在很早以前，乌镇有一户方姓人家开了一爿小本经营的“天顺糕饼店”，这家小店精制的小酥饼深受顾客欢迎。方家生有一子一女，儿子已经成亲。方家为了保住自己的生财之道，对制作小酥饼的技术只传儿子、媳妇，不传女儿。这件事，太使女儿生气了，于是，方家姑娘趁嫂嫂正在配料的时候，故意将嫂嫂骗出了配料间，乘其不备，将早已准备好的一把盐迅速掺入配料之中。真是意想不到，这次做出来的小酥饼竟使顾客交口赞誉：“有点焦盐味道，回味无穷！”事后，经过方老板详细查问，女儿只好说明真情。方老板为了招揽生意，特地大事宣扬，说这种新品种的小酥饼是姑嫂两人亲密合作配料而成的，于是，特地改名为“姑嫂饼”。桐乡乌镇姑嫂饼就此出名。

杭州门板饭

黄萍荪

七十岁左右的杭州人，对门板饭可能都还留有较深的印象。门板饭也确有其诱人的魅力。门板饭之最，应数河坊街的“王饭儿”。昔年门庭若市，后至向隅。然则何谓门板饭？因其将卸下的牌门板拼搭成长形条案，上置肴馔，均盛在大号陶盆中,计有七八味,"一字"排开。门板外侧有一长板凳,可坐七八人。板凳向里的两脚较矮,向外两脚略高,因其伸向街面故。店堂内一口大三眼灶,锅二:一是饭,饭则堆如小阜,成塔形;一是大杂烩,凡猪之下脚、鸡鸭头爪、笋之老根、剔尽之骨,均为锅中上客,佐以青菜、豆腐、罗卜、油渣……可谓包罗万象,荤素兼具,随锅翻腾,氤氲满屋,浓香四溢,诱发行人,每为驻足。但此锅中物,专供长凳食客享受,楼座客无与也,等级分明。若问价钿,每勺铜元三枚,盆中之肴亦然。饭每碗如前数。吃这种饭有门槛,不能立即举筷,须先以口咬掉碗中饭的塔尖,否则狼藉满身不堪收拾。吃门板饭的皆为引车买浆、贩夫走卒之流。饱餐一顿,20世纪30年代初期,怀银二角足矣,离座时照样油光沾嘴,抹而后行。不过离座时得注意,除非是坐头尾之客,否则均须侧身反足跨出,以不妨碍左右为第一要诀。据传红顶商人胡雪岩为钱庄小伙计及日后落泊之时,亦板凳上之常客。

楼座尽衣冠中人,那时呼为长衫帮,他们对楼下的特价肴、饭无缘享受。王饭儿的名菜,首推木郎(大鱼头)沙锅豆腐最脍炙人口,其他则皮儿荤素、春笋步鱼、生爆鳝片、清炒虾仁、虾蟹(该店当蟹未上市时,则将旺季所剔蟹肉加油熬煎成块者应市,色香味无逊于鲜)、狮子头、乳汁鲫鱼汤、红焖圆菜(甲鱼)、蜜汁火方等,亦皆独秀钱塘。而盐件儿尤称一绝。此家乡肉也,二两一块,上笼蒸透，瘦者呈绯，肥者似玉，上王饭儿，食罢无不拎回一扎，以贶家人，时外国人若梅滕更(广济医院院长)不时枉顾。司徒雷登每返杭(司徒出生于天水桥之耶苏堂弄，自称半个头的杭州人)尤喜沙锅木郎豆腐。海客游杭，除湖上之楼外楼外，“王饭儿”亦其所好。

沈荡的羊肉面和大麻饼

姚士彦

江南小镇都有些风味小吃，浙江海盐县沈荡也有不少。我最想念的是送子庵弄口的羊肉面；北阴庙前的白鸡面；宋祥官夜粥店的肉骨头烧芋艿；天香斋的大麻饼、酥糖等等。尤以羊肉面、大麻饼最具特色。

杭嘉湖平原盛产一种“湖羊”，毛可制笔，连皮带肉可供食用。沈荡农家都饲养“湖羊”，镇上设有羊行，专门贩卖胎羊，供农民饲养。羊肉面的羊肉，是选羊的胴体后部，切成五六公分见方的小块，用咸水草扎缚，一层一层迭在小缸里，加上葱、姜、酱油、酒等作料，整缸红焖。制成开缸，香味扑鼻，其肉酥而不烂，肥而不腻，羊肉面就是用这种羊汤下面，可盖交，也可过桥。每年阴历十月初一开始供应，一直到翌年春初，每天早晨都有，真是无上美食。如果节约一点，不吃

羊肉,可光吃羊肉汤阳春面(沈荡叫"小面"),20世纪30年代只要十个铜板一碗面,价廉物美,穷人也能享受。

大麻饼、麻酥糖和状元糕,都是天香斋的特产。大麻饼用料同于一般麻饼,其特点是特大特薄,大到直径三十公分以上,薄到零点四厘米以下。芝麻多,面粉和糖占的比例较少,所以香而不甚甜,不腻口;因为大,烘制时要特别小心,不能烤焦也不能碎,因此特别可口。沈荡人走亲访友,每以大麻饼送礼,五个一盒,也只比现在的盒装青春宝稍厚一点。

抛新娘——建德"九姓渔户"的婚俗

程秉荣

居住浙江建德三江(富春江、新安江、兰江)上的"九姓渔户",不与陆上人通婚,他们自己形成了一套婚嫁习俗,颇为奇特。

他们行的是封建包办婚姻,由男女双方家长一锤定音,并有以下几个过程:

1.送盘:双方家长决定后,就择日送盘。盘的数目要成双,多则二十盘,少则八盘。红漆木盘里的东西,主要是鸡、鱼、肉、面、馒头、布匹、银元等，送过盘就算定婚。此后，男方每年要向女方送三节(端午、中秋、过年)直到结婚为止。

2.送嫁妆：结婚头一天，男方请一些帮忙人，数字要成双。一部分派到女方船上，一部分在自己船上帮忙。另外还要一对“利市人”，一男一女，女的到新娘船上为新娘梳头、开面，陪新娘拜祖先。傍晚，开始送嫁妆。男女方两只船，并排停泊，中铺跳板，女利市人站在女方船头，手拿钩秤，帮忙人递来的嫁妆，女利市人用秤钩勾一下，口喊“称一斤”；男船上的男利市人也站在船头上，马上接应着喊：“长千金”，这样，男船上的帮忙人就可把嫁妆接来，传到“新房”里去。送一件，喊一句，都是利市话，直到送完为止。送妆结束，女方请男方帮忙人过船来，共喝“送妆酒”。

3.谢礼：出嫁当天晚上，新娘要进行“谢礼”。船上挂灯结彩，红烛高烧，二面大铜锣，男女船头各挂一面，双方配合，齐声敲打(每次十三下，十慢三快)，整夜不息。新娘则对所有亲戚、父母、弟妹等，边哭边拜。拜后，每人都要拿出一个红包给新娘，称为“谢礼”。新娘哭时，女眷都要陪哭，祝福新娘。

4.教训女婿：新娘将要起身，岳母要进行教训女婿仪式。内容主要叫女婿要夫妻和睦，白头偕老。新郎听到岳母的话，要很快从自己船上走到岳母面前，双膝下跪，讲：“听岳母吩咐，一定牢记。”讲毕，要动作很快地逃回自己船上。如被女方亲朋拉牢，要罚香烟、糖果、红鸡蛋等。

5.拜别父母,吃高头饭:由利市人陪新娘拜别父母,然后,新娘坐在一竹团匾中吃高头饭,即满满一碗饭,二个剥壳的熟鸡蛋,一碗面,数样菜。由利市人喂新娘吃,喂一口(象征性喂吃),讲一句祝福的话。

6.抛新娘:男方接亲船,挂灯结彩,打扮得如同花轿,称为“轿船”。撑到与女方船并行,两船相距约一公尺,不得靠拢,两船的彩布要挂得一样高,表示吉利。“抛新娘”的人站在船头,这个人要身强力壮,又要“利市”即父母双全,夫妻和睦,有子有女,经济富裕,腋下捆着一根阔带子作保险。新娘“高头饭”刚吃好,女船利市人即打招呼,喊:“千金小姐送上来”,这时新娘由女伴陪着上来,称“出阁”。男船利市人也同时喊:“王孙公子站起来,珍珠凉伞撑起来。”在喊的同时,女方要放爆竹三个,第一个叫“招呼炮”,第二个叫“动手炮”,第三个叫“结束炮”。男方这时也要放两个爆竹,一个叫“进门炮”,一个叫“胜利炮”。女船刚刚放第二个炮时,抛新娘的人动作敏捷地拖过新娘, 一手托住背部, 一手托住臀部,用力向男方船上抛去。男方接新娘的人熟练地接牢,让新娘站在船头铺着的布袋上,从船尾“进门”。这时“胜利炮”一响,早有人伺候在船篙旁,马上拔起竹篙,将船撑起,打三个圆圈,向上游开去。

接着就是拜天地,分大小,洗和气面,入洞房,挑头巾,闹新房等等。

后　记

《新编文史笔记·两浙轶事》,由浙江省文史研究馆主编,经馆员同仁群策群力,历时一年余问世。

浙江人杰地灵,素称"文物之邦"。在近、现代有众多的风云人物和趣闻轶事,如东海波涛,钱江涌潮,蔚为壮观。是非功过,历史自有评说。《轶事》按照笔记丛书编辑要求,从数百篇来稿中,筛选出一百一十篇文章,以飨读者,并祈望起拾遗补缺之作用。

这些文章似路花野草,清香淡雅,富有浓郁的浙江地方色彩。作者大多是经历丰富的高龄馆员,文史界的耆宿;史料多是"三亲",故真实可信;内容新,大多鲜为人知;题材广,包罗万象;文字短小生动,大多数都只有几百字。个别文章虽篇幅稍长,如《载湉之死》一文近四千字,揭示清光绪帝之死因,读来不嫌其长。《泰戈尔游西湖》、《马一浮拒权贵》、《于右任书立轴分送“国大代表”》、《卢永祥测字》、《考靴》等文章，多则四五百字，少则二三百字，言简意赅，引人入胜。

本册的编辑出版，承本馆馆员胡才甫、林泽、汪振国、刘麟书、蔡见吾、章士严、桑雅忠、叶炳炎、茅蔚然、刘操南、洪昌文等老先生的辛勤劳动，通力合作。他们对编选稿件，考订史实，文字加工，集体审定，尽力做到精益求精。本书的完成还得到了丛书编辑部的指导及浙江省文史、方志部门的热情支持。对此，我们谨致诚挚的谢意。

由于我们水平、精力有限，在编辑工作中难免存在一些问题和不足，请读者不吝指教。

编　者